W9-BXN-314

Yevtushenko Poems

Other Works by Yevgeny Yevtushenko

SELECTED POEMS
A PRECOCIOUS AUTOBIOGRAPHY

Yevtushenko Poems

Introduction by Yevgeny Yevtushenko

Authorized translation by Herbert Marshall

Bilingual Edition

E. P. Dutton & Co., Inc. New York 1966

I wish to thank Dr. Victor Swoboda and Mr. D. Bartkiw of the School of Slavonic and Eastern European Studies of the University of London for their consultation and help from time to time, and finally to acknowledge the debt I owe to my wife, Fredda Brilliant, whose criticism and help are, as always, invaluable.

Herbert Marshall
Professor: School of Communications
Southern Illinois University
Carbondale, Ill., U.S.A.

May 25, 1966

Published simultaneously in Canada by Clarke, Irwin & Company Limited, Toronto and Vancouver

Library of Congress Catalog Card Number: 65-19953
FIRST EDITION

Contents

The Spirit of Elbe

(To My American Readers)

Sometime in 1945, Russian and American soldiers met on the River Elbe. As they sailed to meet each other over its spring waters, they waved weapons and flasks of whisky and vodka.

They embraced, drank, sang, fired into the air, and showed each other tattered photographs of their sweethearts, wives, and children.

The future of those children, smiling from the photographs, seemed to these soldiers to be one of untroubled peace, now and forever.

Our feelings toward a common enemy gave birth in us to feelings of a common goal.

But there came people who transformed victory over a common enemy into a means of disuniting, instead of uniting us even more closely. Cursed be those cynics who for so many years strove to kill in our hearts the sacred spirit of Elbe.

Yet, despite them, the spirit of Elbe lives on in the hearts of our peoples, for all people have the same enemies—in peace and in war: militarists, spies, exploiters, nationalists, stiflers of honor, goodness, and justice. Let these feelings toward our common enemies create for us a common goal, as once it did on the River Elbe. . .

For the aim of all working people the world over is one, no matter how they may differ as to the means of achieving it: freedom, equality, and universal brotherhood.

The achievement of this aim depends, of course, on the interrelationships of all peoples—big and small—but tremendously important is the kind of relationship that exists between us—Russians and Americans.

Differences in political systems should not prevent our peoples living in peace and friendship, for in our friendship lies the only possibility of achieving a peaceful future for our children. Any militant opponent of friendship with the Russians—no matter with what pro-American phrases he may mask himself—is objectively an anti-American, for he menaces the whole future of his people.

In the final analysis, humanity has only two ways out—

either universal destruction or universal brotherhood. Both right-wing and left-wing phrases about the impossibility of peaceful coexistence of countries with different systems are criminal, even if they arise simply out of thoughtlessness.

"A friend in need is a friend indeed." So in the relationships between peoples.

When America was struck with a national misfortune—the villainous murder of Kennedy—we were all profoundly shocked and shared America's own unhappiness.

This is convincing enough proof that our peoples are not only obliged to, but *can* understand and feel for each other.

Of course it is a good thing that there is direct communication between the Kremlin and the White House via the "Hot Line" and that diplomatic, commercial, and tourist contacts increase still more. But a tremendous part in strengthening friendship between our peoples must be played by art, whose eternal role is the uniting of human hearts in the name of goodness and justice.

Pushkin, Tolstoy, Chekhov, Dostoyevsky, Gogol, Gorki, Mayakovsky, Pasternak, and the books of many others of our writers standing on the bookshelves of American homes, carried on this good work. The publication in the United States of the books of Solzhenitsyn, Kazakov, Voznesensky, and other contemporary Soviet writers, continues that good work. I would like very much for American readers also to become acquainted with other contemporary poets, remarkable for their unique variety, such as Tvardovsky, Smelyakov, Svetlov, Zabolotsky, Martynov, Slutsky, Vinokurov, Akhmadulina.

Are not the films *The Cranes Are Flying, The Ballad of a Soldier*, the music of Shostakovich and Prokofiev, the performances of Richter, carrying out this sacred duty of art—to unite?

And all that is best in American art also fulfills that duty here in Russia.

I want to say a few words about the role American art has played and still plays in my life.

The first American book I ever read was Harriet Beecher Stowe's *Uncle Tom's Cabin*. I was then some seven years old.

Of course now, no doubt, this book would appear naïve and oversentimental. But at that time it made an extraordinary impression on me. I cried over the fate of Uncle Tom, clenched my fists angrily, ready to hurl myself at the slave driver Simon Legree, and since that time have hated with all my soul that that most repulsive thing in the world—slavery—no matter in what civilized form it may appear.

Huckleberry Finn became one of my firmest friends. Tom Sawyer, of course, was also a likable chap, but you couldn't depend on him as you could on Huck. Huck had a great deal more inner freedom and compassion for the suffering ones, for he himself suffered more than Tom—and he had a great deal more carefree contempt for worldly goods.

Of course in my turn I was a fan of James Fenimore Cooper and Bret Harte, most of whose books I have forgotten now, except the latter's story, *How Santa Claus Came to Simson's Bar*, which still lives in my grateful memory.

The passion of my adolescence was Jack London. There is a good deal I don't care for so much now, but *Martin Eden, The Mexican* and certain other stories still overcome me with their power.

In my youth I swallowed, very unsystematically, Edgar Allan Poe, O'Henry, Dreiser, Sinclair Lewis, Upton Sinclair, Dos Passos, Caldwell. But one book above all others shook me completely. It was *The Grapes of Wrath* by Steinbeck. This book astonished me by its austere bareness and its expression of the highest form of love for man—without emotional priest-like commiseration, without sentimental sighing.

Afterward there were many other works of Steinbeck I liked, in particular *Of Mice and Men, The Winter of Our Discontent, Travels with Charlie*. Nevertheless, the impression from *The Grapes of Wrath* remains unsurpassed. No doubt such a book is written only once in a lifetime. (If John Steinbeck refutes me, I shall be only too happy, both for him and for all of us.)

Later I discovered Hemingway, whose existence was anticipated for me by certain intonations of Stephen Crane—particularly his wonderful story *The Blue Hotel*.

At first I didn't quite grasp Hemingway—he seemed to me too restrained. But afterward I understood that his restraint was the tormented courage of a man, who grits his teeth till the blood runs, in order not to cry out from pain, and still more, who contrives to mock his own pain.

I love many of Hemingway's works, but above all *For Whom the Bell Tolls*. It is said that this book is not very popular in the

West. If that is so, I think it only confirms the truism that popularity is a fickle jade. *For Whom the Bell Tolls* is one of the finest books of the twentieth century, which incarnates with truly Shakespearean power the whole *angst* of this century.

I like more than anything, not the famous dialogue in the sleeping bag, but the character of the old woman Pilar, the characters of the partisans and Marty. This novel is terrifying and at the same time piercingly beautiful, like life.

Some people say that the posthumous book of Hemingway, about his youth in Paris, is too caustic, too evil and petty. I don't know—I discovered nothing of this in it. Hemingway is merciless in it, but he was always merciless. But beneath his mercilessness, in this book also, is hidden a wounded love of man.

Cumbersome and unwieldy, Faulkner lurched into my soul, and although thereby it became overcrowded, I still couldn't get him out—couldn't find the strength to move this great mass from the spot. His works are like the formations of a mountain—apparently as irregular and chaotic—but only at first sight. All its promontories, cliffs, chasms, and crags are united into a single mighty whole by some kind of unknown natural power.

Unusually fresh, and original is Salinger's *Catcher in the Rye*, which, incidentally, is beautifully translated into Russian, despite the many difficulties that had to be overcome.

Still later I became acquainted with certain works of Cheever, Farrell, Saroyan, Kerouac, Capote, Updike, Baldwin, and many of them touched me deeply. Of American dramatists known to me, I like most of all the plays of Miller, Williams, and Albee.

I have seen relatively few American films, but nevertheless, Hollywood's gilded trash did not obscure my appreciation of genuinely serious works. I was greatly impressed by Kramer's *On the Beach*, *Twelve Angry Men*, and *Judgment at Nuremberg*. All these films are permeated, not with passive pseudo-humanism, but active and militant humanism.

My acquaintance with American poetry began with Edgar Allan Poe and Longfellow, while yet a child. The extraordinary spiritual harmony, freely flowing through "The Song of Hiawatha," must call forth envy in the nervously twitching poetry of the Atomic Age.

Afterward I fell madly in love with Walt Whitman, who with his good strong hands embraced all mankind. The crafty farmer's twinkle of Frost, the spiritual purity and clarity of Sandburg, the convulsive searching of Ginsberg, the mournful transparency of Wilbur, the subtlety of Lowell, and the unique qualities of other American poets have found their response in me, as in many other Russian readers.

Naturally, there are many gaps in my knowledge of American art, which may seem elementary to the American reader. But I have risked speaking of this only because I wanted to say how dear to us is all that is finest and humanistic in American art. It helps us preserve the spirit of Elbe . . . It helps us to come closer to each other, just as does everything that is best in Russian art. And if my book, if only to a tiny degree, helps this coming together of our peoples, I shall be happy. . . .

Now a few words about my book. Most of the poems have not been previously translated into English. The translations have been made by Herbert Marshall, an old friend of Russian poetry. As I hardly know any English myself, it is clearly difficult for me to judge the quality of the translations, but I hope that they will convey in English what I wanted to say in Russian.

In this book you will come across poems from different periods of my literary life, some of them, although dear to me for one reason or another, now seem somewhat naïve, some of them, no doubt, will seem naïve to me later on, still all the same they are my poems—my flesh and blood.

The poems are quite varied, both in the means of substantiation and in their themes. If one speaks of form, I am sometimes drawn to poetry written in a free meter, with feverish brush strokes, at others to a calm classical meter, or to village folklore, or to city slang. Sometimes I am accused of eclecticism. But quite simply on my working table lie different kinds of tools—both old and new—and I don't want to discard any of them. The hammer, of course, is a very old instrument, but if one wants to knock in a nail, then it is best done with a good old-fashioned hammer, and not with delicate silver forceps. But when one wants to examine a complex mechanism, then one must say to the hammer: "Old fellow, pardon me, but you're no good for this kind of work!" and lay it aside for the time being. However, there is one tool I never lay aside—that is old mother rhyme. However free the meter may be, old mother rhyme always holds it in check, so that it doesn't run wild. After all, the advantage of poetry over prose is in its retentiveness. I like certain unrhymed verse of other poets, nevertheless I must admit that unrhymed poems are much more difficult to memorize.

If one speaks of themes, I am personally attracted to the most varied themes. Sometimes I pledged myself not to write on political themes, and then suddenly something would happen about which it was damn impossible not to write. Sometimes I pledged myself not to write on so-called "eternal themes," considering, in my stupidity, that such things were the easier, but eternity grasped me by the collar with its immortally youthful hand and made me lift my eyes, obstructed by "everyday humdrumness," up to the stars. Now I forbear from making any pledges.

My plans? Of course, poems, but also prose. I have in mind a series of short stories and a novel. I have also an old dream—to write a book of poems about America. I was in America for only three weeks and in a tourist-round saw obviously too little to write a book about. I would like to write about America at work—about American workers, farmers, intellectuals, and write it not from the point of view of a foreigner, but as it were from within. To do this, it will be necessary for me to come to the States once more—and this time to study it thoroughly. I hope to do this, and I believe that this forthcoming book, if it is successful, will help the spirit of Elbe.

Yev. Yevtushenko
Moscow, 1965

Yevtushenko Poems

Пролог

Я разный —
я натруженный
и праздный,
Я целе —
и нецелесообразный,
Я весь несовместимый,
неудобный,
Застенчивый и наглый,
злой и добрый.
Я так люблю,
чтоб все перемежалось!
И столько всякого во мне перемешалось —
От запада и до востока,
От зависти и до восторга.
Я знаю, вы мне скажете:
«Где цельность?»
О,
в этом всем
огромная есть ценность!
Я вам необходим.
Я доверху завален,
как сеном молодым
машина грузовая.
Лечу сквозь голоса,
сквозь ветки,
свет
и щебень,
и — бабочки в глазах
и — сено прет
сквозь щели!
Да здравствуют
движение
и жаркость,
И жадность,
торжествующая жадность!
Границы мне мешают...
мне неловко

Prologue

I'm all sorts—
I overwork
and I malinger,
I'm both ex-
and inexpedient,
I'm completely incompatible,
clumsy incompetent,
good and evil,
bashful and impudent.
I love everything
to alternate and shuttle!
For in me so much of everything is shuffled—
from the East all the way to the West,
from jealousy to joyous zest.
I know you'll say—
"where's the wholeness?"
But
in this all—
mighty value consoles us!
To you I'm necessary.
I'm brim overlade,
like a truckful speeding
with new-mown hay.
Through voices I fly,
through branches,
light
and road tracks,
and—butterflies are in my eyes
and—hay thrusts
through the cracks!
Long live
motion
and heat,
and greed,
all triumphant greed!
Frontiers hinder me. . . .
I'm embarrassed

Не знать Буэнос-Айреса,
Нью-Йорка.
Хочу шататься,
сколько надо,
Лондоном,
со всеми говорить,
хотя б на ломаном!
Мальчишкой,
на автобусе повисшем,
хочу проехать
утренним Парижем!
Хочу искусства —
разного, как я!
Пусть мне искусство не дает житья
и обступает пусть со всех сторон...
Да я и так
искусством осажден!
Я в самом разном сам собой увиден.
Мне близки
и Есенин
и Уитмен,
и Мусоргским охваченная сцена,
и резкие смещения Гогена.
Мне нравится и на коньках кататься
И, черкая пером,
не спать ночей.
Мне нравится
в лицо врагам смеяться,
и женщину нести через ручей.
Вгрызаюсь в книги
и дрова таскаю,
грущу,
чего-то смутного ищу
И алыми морозными кусками
Арбуза августовского хрущу.
Пою и пью
не думая о смерти,

not to know New York,
Buenos Aires.
In London
I want to loaf
and linger,
talk to everyone,
even in a broken lingo!
Like a boy,
hanging onto a bus's backside,
through morning Paris
I want to ride!
As varied as myself
I want Art to be!
Let it pester and torment me
and let it on all sides surround me . . .
Even so
by Art I'm impounded!
In the most varied myself I'm seeing.
Near and dear to me
are Whitman
and Yesenin,
and Moussorgsky's stage infatuation,
and Gauguin's abrupt peregrinations.
I like to go skating on the ice
and, scratching with my pen,
not to sleep at nights.
I like to laugh
into the faces of my foes
and carry a woman over a stream.
To gnaw into books
carry logs for stoves,
feel melancholic,
seek something to dream.
And frosty crimson slices crunch
of August melon and pieces munch.
I sing and drink,
no thought of death at all,

раскинув руки,
падаю в траву,
И если я умру на белом свете,
То я умру от счастья, что живу.

1957

О простоте

Иная простота хуже воровства.

Уютно быть не сценой — залом,
зевать, программу теребя,
и называть спокойно: «Заумь»
ту пьесу, что умней тебя.

Как хорошо и как уютно,
сбежав от сложностей в кусты,
держаться радостно за юбку
румяной няни — простоты.

Внемлите, а не обессудьте.
Я простоту люблю, но ту,
что раскрывает сложность сути,
а не скрывает пустоту.

Не верьте лживой, пыл умеря.
За нею нужен глаз да глаз.
Она баюкает умело
и обворовывает нас.

Все сложное уже не манит.
Душа великого не ждет,
и нас вина непониманий
уже не мучает, не жжет...

throwing out my hands,
onto the grass I fall,
and if in this wide world I die,
then I'll die from joy that I'm alive.

1957

On Simplicity

Sometimes simplicity is worse than theft.

It's cozy to be in front, not on stage,
to yawn, the program finger through,
and to calmly call that play:
"Absurd," which is cleverer than you.

How good and how cozy a thing
in the bushes to hide from complexity,
to hang happily on to the apron strings
of old red-faced Nanny—Simplicity.

Listen carefully, and judge not severely.
I love simplicity, but if it's real,
When, the complexity of essence revealing,
it doesn't mere emptiness conceal.

Restrain your ardor, believe not her lying.
Keep both eyes open wide.
She's very deft at lullabying
and plundering us, besides.

All that is complex no longer attracts.
The heart doesn't look for great things in store,
and the guilt of nonunderstanding detracts
and torments no longer, and burns no more. . . .

Карьера

Ю. Васильеву

Твердили пастыри, что вреден
и неразумен Галилей.
Но, как показывает время,
кто неразумней — тот умней.

Ученый — сверстник Галилея —
был Галилея не глупее.
Он знал, что вертится Земля,
но у него была семья.

И он, садясь с женой в карету,
свершив предательство свое,
считал, что делает карьеру,
а между тем губил ее.

За осознание планеты
шел Галилей один на риск,
и стал великим он... Вот это —
я понимаю — карьерист!

Итак, да здравствует карьера,
когда карьера такова,
как у Шекспира и Пастера,
Ньютона и Толстого... Льва!

Зачем их грязью покрывали?
Талант — талант, как ни клейми.
Забыты те, кто проклинали,
но помнят тех, кого кляли.

A Career[1]

To Y. Vasiliev

Priests preached that Galileo
was the most foolish and harmful ever.
But, as time does show,
the most foolish is the most clever.

Galileo's contemporary scholar
was no stupider than he.
He knew the earth rotates in the solar
system, but he had a family.

With his wife in a carriage he appeared,
his betrayal having executed,
and considered he'd made a career,
whereas it was ruined and execrated.

To comprehend the planet
Galileo alone took a risk
and thus became great . . . That's what
I understand by a careerist!

And so, long live a career,
when that career to behold
is like Pasteur or Shakespeare,
Newton or Tolstoy—Leo![2]

Why were they mud-spattered?
Talent is talent, slandered it's no worse,
but those who cursed are forgotten
while remembered are those who were cursed.

[1] This is one of the four poems included in Shostakovich's *Thirteenth Symphony*.

[2] Yevtushenko wishes to make sure the reader doesn't confuse Leo Tolstoy with Alexei Tolstoy, the novelist of the Stalinist period.

Все те, кто рвались в стратосферу,
врачи, что гибли от холер,
вот эти делали карьеру!
Я с их карьер беру пример!

Я верю в их святую веру.
Их вера — мужество мое.
Я делаю себе карьеру
тем, что не делаю ее!

1957

Пришли иные времена.
Взошли иные имена.

Они толкаются, бегут.
Они врагов себе пекут,
приносят неудобства
и вызывают злобства.

Ну а зато они — вожди,
и их девчонки ждут в дожди,
и, вглядываясь в сумрак,
украдкой брови слюнят.

А где же, где твои враги?
Хоть их опять искать беги...
Да вот они — радушно
кивают равнодушно.

All those who soared to the stratosphere,
the doctors who died from cholera sampling,
all these really made a career!
I take their career as my example!

I believe in their holy belief.
From their belief my courage is won.
I make a career for myself
by not making one!

1957

Came other times . . .

Came other times.
Rose other names.

They jostle one another, run loose,
foes for themselves create,
discomfort they produce,
malice provoke and hate.

But then they are leaders,
for whom in rain teen-agers wait,
while, through twilight peering,
eyebrows they moisten with spit.

But where now, where are your enemies?
Though you run still and seek them frantically . . .
Why, there they are–welcoming
and nodding heads indifferently.

А где твои девчонки, где?
Для их здоровья на дожде
опасно, не иначе, —
им надо внуков нянчить.

Украли всех твоих врагов.
Украли легкий стук шагов,
украли чей-то шепот...
Остался только опыт.

Но что же ты загоревал?
Скажи — ты сам не воровал,
не заводя учета,
все это у кого-то?

Любая юность — воровство.
И в этом — жизни волшебство.
Ничто в ней не уходит,
а просто переходит.

Ты не завидуй. Будь мудрей.
Воров счастливых пожалей.
Ведь, как ни озоруют, —
их тоже обворуют.

Придут иные времена.
Взойдут иные имена.

1964

And where are your teen-agers, where?
For their health it's dangerous there
out in the rain, they should be
dandling grandchildren on their knees.

They have stolen your enemies, all.
They have stolen the light-tap footfall.
They have someone's whisper stolen. . . .
Experience only is left to go on.

But tell me why are you grieving?
Tell me, haven't you done any thieving?
Never taken stock at all,
that someone else has got it all?

All youth is theft anyway.
And in that is life's magic song.
Nothing in it passes away,
but simply passes on.

Don't envy. Be wiser, by far.
For happy thieves let pity throb.
After all, however cocky they are,
they in their turn are robbed.

Come other times.
Rise other names.

1964

Граждане, послушайте меня

[Воровская песня.
Граждане, послушайте меня!
Гоп со смыком это буду я!
Две сберкассы я ограбил,
и девчонок двух обабил,
а тоска на сердце у меня.
Граждане, послушайте меня!]

Я на пароходе «Маяковский»,
а в душе — Есенина березки,
мыслей безбилетных толкотня.
Не пойму я, слышится мне, что ли,
полное смятения и боли:
«Граждане, послушайте меня...»

Палуба сгибается и стонет,
под гармошку палуба чарльстонит,
а на баке, тоненько моля,
пробует пробиться одичало
песенки свербящее начало:
«Граждане, послушайте меня...»

Там сидит солдат на бочкотаре.
Наклонился чубом он к гитаре,
пальцами растерянно мудря.
Он гитару и себя изводит,
а из губ мучительно исходит:
«Граждане, послушайте меня...»

"Hey, Citizens, Just Listen Here to Me"[1]

[This poem is based on the well-known but unprinted and unpublished song of the criminal strata of Soviet society. It is full of thieve's jargon, often unprintable, and is sung accompanied usually by a guitar or concertina. The first verse with its refrain goes something like this:

"Hey, Citizens! just listen, look and see!
A hop and a skip and a jump, that's me!
Two post offices I've robbed.
Two virginities I've raped.
But my heart still moans nostalgically:
Hey, Citizens, just listen here to me!"]

I am on the SS *Mayakovsky*
but in my heart's Yesenin's birch trees.
Ticketless thoughts rush in, gate-crashing,
I don't understand—do I hear what I see?—
Full of confusion, painfully bashing:
"Hey, Citizens, just listen here to me!"

The deck bends with groans persisting,
to a squeeze-box the deck's twirling, twisting,
but from the fo'c'sle, quietly supplicating,
trying to break through the wildness' beat
comes that song with its chorus irritating:
"Hey, Citizens, just listen here to me!"

On deck barrels a soldier's sitting,
over a guitar his fingers flitting,
with his cowlick perplexedly philosophizing,
the guitar and himself he drinks to the lees,
but from his lips' tormentingly rising:
"Hey, Citizens, just listen here to me!"

[1] Note the use of the official form of address, "Citizen," and not the common form of "Comrade."

Граждане не хочут его слушать —
кой-кому бы выпить, да откушать,
и сплясать, а прочее — мура.
Впрочем: нет, еще поспать им важно...
Что он им заладил неотвязно:
«Граждане, послушайте меня...»

Кто-то помидор со смаком солит,
кто-то карты сальные мусолит,
кто-то сапогами пол мозолит,
кто-то у гармошки рвет меха.
Но ведь сколько раз в любом кричало
и шептало это же начало:
«Граждане, послушайте меня...»

Кто-то их порой не слушал тоже.
Распирая ребра и корежа,
высказаться суть их не могла,
Вряд ли, что с недоброю душою,
но не слышат граждане чужое:
«Граждане, послушайте меня...»

Эх, солдат на фоне бочкотары,
я такой же, только без гитары...
Через реки, горы и моря
я бреду, и руки простираю,
и, уж охрипший, повторяю:
«Граждане, послушайте меня...»

Страшно, если слушать не желают.
Страшно, если слушать начинают.
Вдруг вся песня в целом-то мелка?
Вдруг в ней все ничтожно будет, кроме
этого мучительного, с кровью:
«Граждане, послушайте меня...»?!..

But citizens don't want to listen, look, and see.
Citizens would rather go drinking on the spree,
and dance and enjoy a lot of silly things.
And, there's always, of course, that important thing sleep.
But still he harps on, strumming the strings:
"Hey, Citizens, just listen here to me!"

Someone a pickled herring relishes.
Someone greasy cards time-wastingly flourishes.
Someone high-booted the deck still callouses.
Someone from a squeeze-box tears off the hide.
Yet how many times each has whispered to each
and that very same refrain has so often cried:
"Hey, Citizens, just listen here to me!"

Only no one listened to them either.
Though their ribs they burst open writhing.
They just couldn't express their true selves.
So now with a beaten spirit concealed
they don't want to listen to somebody else:
"Hey, Citizens, just listen here to me!"

Hey, soldier, on the background of barrels and stars!
I'm just the same as you, but without a guitar.
I stretch out my hands as I roam
over rivers, high mountains, and seas,
and hoarsely repeat on my own:
"Hey, Citizens, just listen here to me!"

It's fearful—if to listen they don't wish to.
It's fearful—if to listen they begin to.
What if that whole song is petty and vain?
What if it's all insignificant indeed,
except that bloody tormenting refrain:
"Hey, Citizens, just listen here to me!"?...

Русская игрушка

Шла по выжженным селам
татарва на рысях,
приторочивши к седлам
русокосый ясак.

Как под темной водою
молодая ветла,
Русь была под Ордою.
Русь почти не была.

Но однажды, как будто
все колчаны без стрел,
удалившийся в юрту
хан Батый захмурел.

От бараньего сала,
от лоснящихся жен
что-то в нем угасало —
это чувствовал он.

И со взглядом потухшим
хан сидел, одинок,
на сафьянных подушках,
сжавшись, будто хорек.

Хан сопел, исступленной
скукотою томясь,
и бродяжку с торбенкой
ввел угодник-толмач.

A Russian Toy—Roly-Poly[1]

Through villages burned down
galloped Tartars on horseback,
to their saddles strapped down
light-haired girls hung like sacks.

Like under dark waters that poured
a young white willow twisted.
Russia was under the Tartar Horde.
Russia hardly existed.

But once, as if all were over,
as if quivers had no more arrows,
retiring into his tent
Khan Baty squatted morose.

From grease-glossy wives,
from too much mutton fat
something in him dies—
that was what he felt.

The Khan squatted there alone
with a look of one extinct,
on embroidered Moroccan cushions
he crouched like a polecat sick.

The Khan, puffed and wracked
by boredom tormented and yawning,
when a tramp with a haversack
was brought by a dragoman fawning.

[1] The Russian name for this toy is *Vanka-Vstanka*, Vanka being a diminutive Christian name and Vstanka indicating "the one that stands upright." It is the toy figure with the semicircular base, with a weight inside, which causes it always to come to an upright position no matter how much it is knocked down. It is variously called Kelly, Roly-Poly in English; possibly there are other nomenclatures. I naturally choose the one that alliterates!

В горсть набравши урюка,
чуть качнув животом,
«Кто такой?» — хан угрюмо
ткнул в бродяжку перстом.

Тот вздохнул: (божья матерь, —
то Батый, то князья...)
«Дел игрушечных мастер —
Ванька Сидоров я.»

Из холстин дыроватых
в той торбенке своей
стал вынать деревянных
медведей и курей.

И в руках баловался
потешатель сердец —
с шебутной балалайкой
скоморох-дергунец.

Но, в игрушки вникая,
умудренный, как змий,
на матрешек вниманье
обратил хан Батый.

И с тоской первобытной
хан подумал в тот миг:
скольких здесь перебил он,
а постичь — не достиг.

В мужичках, скоморошьи
простоватых на вид,
как матрешка в матрешке,
тайна в тайне сидит.

Taking a handful of dried apricots,
his belly slightly rocking:
"Who are you?" said the Khan morosely
to the tramp his finger cocking.

Sighed the tramp: ("Mother of God,
there's always a Duke or a Khan!")
"I'm Roly Sidorov—
Master toy craftsman."

From that old haversack of his
he pulled out, one by one,
toy bears and chickens and things,
woodcarvings he had done.

Then in his hands, prankishly,
that joy of all hearts appears:
with a chattering balalaika
Jack-in-the-box up-rears.

But, examining the toys,
cunning thoughts he harbors,
Khan Baty fixed his eyes
on a red-faced peasant *baba*.[2]

And with primeval melancholy
the Khan at that moment recalled:
that though he had slaughtered so many
he had understood nothing at all.

For those peasants, buffoons
and simpletons at first seeming,
are like those dolls within a doll,
secrets within secrets concealing.

[2] A typical Russian peasant woman, carved out of wood, containing identical but smaller and smaller dolls, one inside the other.

Озираясь трусливо,
буркнул хан толмачу:
«Все игрушки — тоскливы.
Посмешнее хочу.

Пусть онь рваная нечисть,
этой ночью не спит,
и особое нечто
для меня сочинит.»

Хан добавил, икнувши:
«Перестень дам и коня.
Но чтоб эта игрушка
просветлила меня!»

Думал Ванька про волю,
про судьбу, про свою,
и тряхнул головою:
«Сочиню. Просветлю.»

Шмыгал носом он грустно,
но явился в свой срок:
«Сочинил я игрушку.
Ванькой-Встанькой нарек.»

На кошме не кичливо,
встал простецкий, незлой
но дразняще качливый
мужичок удалой.

Хан прижал его пальцем
и ладонью помог.
Ванька-Встанька попался.
Ванька-Встанька прилег.

Хан свой палец отдернул,
но силен, хоть и мал,
Ванька-Встанька задорно
снова на ноги встал.

The Khan growled to the dragoman,
gazing around apprehensively:
"These toys are most depressing.
Get me something that amuses me.

Tonight, let that ragged scum,
forgo any further sleep
and something special let him
invent and make for me."

The Khan then added, hiccupping,
"I'll give him a ring and a pony,
but see that the toy he's making
will enlighten my melancholy! . . ."

Roly thought about freedom,
thought too about his fate,
and said, his head a-nodding:
"Something jolly I'll invent . . ."

His nose sniffing plaintively,
at the appointed hour he came:
"A toy for you I've invented.
Roly-Poly its name."

On the thick felt, not bumptious,
with simplicity not unpleasant,
stood, teasingly swaying and rocking,
a spirited little peasant.

With his finger the Khan gave a push,
with the weight of his hand as well.
It caught Roly-Poly in the neck.
Down Roly-Poly fell.

The Khan withdrew his finger then,
but Roly-Poly perkily
(for strong was he though small)
once more to his feet rose jerkily.

Хан игрушку с размаха
вмял в кошму сапогом
и, знобея от страха,
заклинал шопотком.

Хан сапог отодвинул,
но, держась за бока,
Ванька-Встанька вдруг вынырнул
прямо из-под носка!

Хан попятился грузно,
Русь и русских кляня:
«Да, уж эта игрушка
просветлила меня...»

Хана страхом шатало
и велел он скорей
от Руси — от шайтана
повернуть всех коней.

Словно в россыпях гривен,
заиграла трава.
Прижимаючись к гривам,
шла домой татарва.

И, теперь уж отмаясь,
положённый вповал,
Ванька Сидоров — мастер
у дороги лежал.

Он лежал, отсыпался —
руки белые врозь.
Василек между пальцев
натрудившихся, рос.

А в пылище прогорклой,
так же мал, да удал
с головенькою гордой
Ванька-Встанька стоял.

The Khan kicked the toy with his boot
and crushed it into the felt
and, shivering it seemed out of fear,
in a whisper cursed like hell.

The Khan, still more morosely,
moved aside his foot,
when Roly-Poly suddenly emerged
right from under his boot!

Cursing Russia and the Russians,
the Khan drew back corpulently:
"Yes, that cursed toy
has already enlightened me . . ."

The Khan from fear was shattered
and hurriedly gave orders:
from Russia—from that Satan,
to turn back all the horses.

Like a torrent of silver kopeks
the grass was shimmering prone.
Over the manes low-hunching
the Tartar Horde rode home.

And there where he was thrown—
his travail finally ended—
Roly Sidorov, craftsman,
lay by the roadside—dead.

He lay, catching up with his sleep,
white hands flung askew.
Between his work-worn fingers
blue cornflowers grew.

And in the dust gone bitter,
still small, and still unafraid,
with head held high and proudly
Roly-Poly stood and swayed.

Из-под стольких кибиток,
из-под стольких копыт
он вставал, неубитый, —
только временно сбит.

Опустились туманы
на лугах заливных,
и прошли басурманы,
будто не было их.

Ну а Ванька остался,
как остался народ,
и душа Ваньки-Встаньки
в каждом русском живет.

Мы — народ Ванек-Встанек.
Нас не бог уберег.
Нас давили, пластили
столько разных сапог!

Но, надеясь на небо,
нам не знали цены
ни французы, ни немцы,
ни князья, ни цари.

Они знали: мы Ваньки.
Нас хотели покласть.
А о том, что мы Встаньки
забывали, платясь.

Мы — народ Ванек-Встанек.
Мы встаем, так всерьез.
Мы от бед не устанем,
не поляжем от слез.

From under so many Nomad tents,
only temporarily felled,
from under so many hoofbeats,
he rose up, still unkilled.

Slowly the mists settled down
over riverside meadows green,
and the Basurmen[3] disappeared
as if they had never been.

But Roly himself remained,
as the Russian people remains,
and the spirit of Roly-Poly
every Russian sustains.

We're the people of Roly-Poly.
By God we've never been saved.
But how many jack boots crushed us down,
flat on our backs like slaves?

But, putting their trust in Heaven,
they never knew our real worth,
neither the French nor the Germans,
nor any Prince or Czar on earth.

All they knew: we were Rolies.
And wanted us flat on our face.
But the fact we were Roly-Polies
they forgot, and paid the price.

We're the people of Roly-Poly.
By misfortune we never are crushed.
When we rise up—it's in earnest.
We don't snivel in the dust.

[3] Mussulmen, Mohammedans.

И все так же отважно
Ванька-Встанька — все тот —
посмеется над каждым,
кто на Русь посягнет.

Посмеется, не вмятый,
не затоптанный в грязь,
мужичок хитроватый,
чуть покачиваясь........

Вологодская область, 1964

По Печоре

За ухой, до слез перченой,
сочиненной в котелке,
спирт, разбавленный Печорой,
пили мы на катерке.

Катерок плясал по волнам
без гармошки трепака,
и о льды на самом полном
обдирал себе бока.

И плясали мысли наши,
как стаканы на столе,
то о Даше, то о Маше,
то о каше на земле.

A Roly-Poly is he—
equally courageous—
who laughs at anyone
who on Russia encroaches,

who laughs undaunted, and rises
from the mud untrodden, mocking,
that simple peasant fellow,
to and fro slightly rocking . . .

Vologodsky Province, 1964

On the Pechora River[1]

After the fish soup, peppered to tears,
in the billy-can quickly concocted,
spirit we drank, Pechora diluted,
on the deck of a fisherman's cutter.

Over the waves the cutter went dancing
without an accordion's Trepak,[2]
at full speed ahead the cutter's slim sides
were flaying themselves with the ice pack.

And our own thoughts were dancing too,
like tumblers on the table top twirled,
either about Dasha,[3] or about Masha,[3]
or the kinds of *kasha*[4] in the world.

[1] The River Pechora runs from the northern Ural Mountains into the Pechora and Barents seas.
[2] A lively Russian folk dance.
[3] Endearing forms of typical Russian Christian names.
[4] A traditional buckwheat porridge. There is a Russian proverb: *Kasha mat' nasha*—Buckwheat porridge is our mother!

Я был, вроде, и не пьяный,
ничего не упускал.
Как олень под снегом ягель,
под словами суть искал.

Но в разброде гомонившем
не добрался я до дна,
ибо суть и говорившим
не совсем была ясна.

Люди все куда-то плыли
по работе, по судьбе.
Люди пили. Люди были
неясны самим себе.

Оглядел я, вздрогнув, кубрик.
Понимает ли, рыбак
тот, что мрачно пьет и курит,
отчего он мрачен так?

Понимает ли завскладом,
продовольственный колосс,
что он спрашивает взглядом
из под слипшихся волос?

Понимает ли, сжимая
локоть мой, товаровед
что он выяснить желает?
Понимает или нет?

Кулаком старпом грохочет.
Шерсть дымится на груди.
Ну а что сказать он хочет —
разбери его поди.

Все кричат — предсельсовета,
из рыбкопа чей-то зам.
Каждый требует ответа,
а на что — не знает сам.

For myself I didn't have a drink too much,
and nothing escaped me by default,
for, like a deer after moss under snow—
under words the essence I sought.

But with all that noise, and that hubbub,
to the bottom I couldn't delve,
for to those talking, the essence it seemed
wasn't even clear to themselves.

Along their work, along their fate,
people were sailing to somewhere.
People ate and drank, yet people were
to themselves even more unclear.

I shuddered and looked around the deck.
Has that fisherman understood,
as he gloomily smokes and downs a drink,
why he's in such a gloomy mood?

Does the ship's chandler arguing—
that supply tycoon standing there—
understand what he is asking,
with that look under sticky black hair?

Does the storekeeper by the rail,
pressing my elbow, untying a knot,
understand what he wants to explain?
Does he understand or not?

The First Mate threatens with his fist.
The thick hair smolders on his chest.
But what it is he wants to say—
Just try and find out with the rest!

Everyone's shouting—the Village Chairman,
some Deputy from the Fishing Co-Op.
Each one demands an answer
but himself doesn't know to what.

Ах, ты матушка-Россия,
что ты делаешь со мной?
То ли все вокруг смурные,
то ли я один смурной!

Я из кубрика — на волю,
но, суденышко креня,
вопрошающие волны
навалились на меня.

Вопрошали что-то искры
из трубы у катерка.
Вопрошали ивы, избы,
птицы, звери, облака.

Я притти в себя пытался,
и под крики птичьих стай
я по палубе метался,
как по льдине горностай.

А потом увидел ненца...
Тот, как будто на холме,
восседал надменно, немо,
словно вечность, на корме.

Тучи шли над ним, нависнув,
ветер бил в лицо, свистя,
ну а он молчал недвижно —
тундры мудрое дитя.

Я застыл, воображая:
вот кто знает все про нас!
Но вгляделся — вопрошали! —
щелки узенькие глаз.

Oh, Mother Russia, what to do?
What is it you're doing to me?
Is all around me sunk in gloom?
Or am I the only one that's gloomy?

From the lower deck I came to free air,
but heeling over the tiny bark,
waves came piling up on me
with a perpetual question mark.

Sparks rose up and questions threw,
from the cutter's funnel billowed.
Birds and beasts questioned too,
and cottages and weeping willows.

I tried to come to myself,
and under the cries of wild birds flocking
I rushed up and down the deck
like an ermine on an ice floe cracking.

And then afterwards I saw a Samoyed,[5]
squatting like on a little hill—
as if forever he sat on the stern,
haughty and silent and still.

The clouds surged over him, lowering,
the wind lashed his face with thunder,
but he sat silent, immovable,
that wise child of the tundra.[6]

I too froze still, considering:
There's one who knows all about us!
Then saw: he too was really questioning
with his narrow slanting eyes!

[5] One of the original tribes that inhabit the northern Arctic region, now called in Russian the Nentsi.
[6] The flat, frozen wastes of the Arctic regions of Russia.

«Неужели» — как в тумане
крикнул я сквозь рев и гик —
«все себя не понимают
и тем более — других?!»

Мои щеки повлажнели.
Вихорб брызг меня шатал.
«Неужели? Неужели?
Неужели?» — я шептал —

«Может быть, я мыслю грубо?
Может быть, я слеп и глух?
Может, все не так уж глупо —
просто сам я мал и глуп?»

Катерок то погружался,
то взлетал, седым-седой.
Грудью к тросам я прижался,
наклонился над водой.

«Ты ответь мне, колдовская
голубая глубота,
отчего во мне такая
гордовая глупота?

Езжу, плаваю, летаю
все куда-то тороплюсь,
книжки умные читаю,
а умней — не становлюсь...

Может, поиски, метанья —
не причина тосковать?
Может, смысл существованья
в том, чтоб смысл его искать?!»

Ждал я, ждал я в криках чаек,
но ревела у борта,
ничего не отвечая
голубая глубота.

1964

"Can it be?" as in a sea mist,
I bawled through the hue and cry:
"No one understands themselves,
even less so others—why?"

My cheeks grew wet with the sea spray.
In the whirl of it I tottered.
"Is it possible? It can't be! Can it be?
Can it be?" to myself I muttered.

"Maybe I'm thinking crudely?
Maybe I'm deaf and blind completely?
Maybe everything's not so stupid.
Merely me that's stupid and petty?"

The cutter plunged deep downwards,
then rose up again, gray as gray,
I pressed my cheek to the hawser,
and bent over the water spray.

"Answer me, sea sorcerer,
blue deeps of the plunging sea—
why in me is there such unending
lamentable stupidity?

Traveling, riding, flying,
I'm forever on the run.
Clever books I'm always reading,
but never cleverer become. . . .

Maybe the searching and running around,
isn't reason for longing for reasoning?
Maybe existence's meaning's found
in this: to seek its meaning?"

I awaited the answer from the sea gull's cries,
but only the roar of the water seethes,
no answer comes from the heights of the skies,
nor from the depths of the deep blue seas.

1964

Вам, люди...

По улицам,
стритам,
по раю
и по кайос
вы после работы идете,
толкаясь.
Я с вами смыкаюсь
и в этом не каюсь.
Вы очень устали.
Вы нервными стали.
Вы недра вспластали.
До звезд вы достали.
Но кажется мне —
вы еще не настали.
В зубах ваших «Кэмел»,
«Житан»
или «Новость»,
и каждый из вас
как отдельная повесть,
отдельное сердце,
отдельная совесть.
Под каждым беретом,
ушанкой,
сомбреро
безмерности мира отдельная мера,
в отдельное что-то отдельная вера.
А вы за абсентом,
за водкой,
за кьянти
отдельными быть хоть на миг перестаньте
и в ваших глазах человечеством станьте.
Сложите,
к великому братству готовясь,

To You, People

Along *ulitsas,*[1]
streets,
corsos,
rues,
after work, jostling,
along go you
and without any fuss,
I join you too.
Exhausted by feats,
nervousness beats.
Earth's bosom you've breached.
The stars you've reached.
To me it's a cinch—
you've not found what you seek.
In your lips a Camel
Gitane
or Ducat,[2]
but in each of you starts
a story apart
a separate conscience—
a separate heart.
Under each *shapka,*[3]
sombrero,
or beret,
of a measureless world a measure separate,
a separate belief each separately equates.
But drinking your absinthe,
vodka,
or rum,
cease for once to be separately one
and in your own eyes, human become.
And for that great brotherhood
that is coming,

[1] Russian word for "street."
[2] A popular brand of Soviet cigarettes.
[3] Russian for "cap."

отдельные повести —
в общую повесть,
отдельные совести —
в общую совесть.
Мне все это хочется вам напророчить
и в этом пророчестве неопорочить
все то, что желал бы я в жизни упрочить.
Нет,
я не прошусь ни в пророки,
ни в судьи,
но вы уж простите —
подобно зануде,
вам, люди, твержу я:
«Мы люди.
Мы люди.
Мы люди.
Мы спорим,
огрызчиво ропщем,
друг друга при случае ревностно топчем,
а наша отдельность —
ведь ложная, в общем.
Мы люди,
отдельными мы не бываем.
Других забывая —
себя забываем,
других убивая —
себя убиваем...»

Взмах руки

Когда вы, из окна вагона высунувшись,
у моря
или просто у реки,
в степи
или у гор, надменно высящихся,
увидите короткий взмах руки, —

your stories compose
into one story in common,
your separate consciences
into conscience communal.
All this to you I want to prophesy,
and in that prophecy not to vilify
all that, which in life I want to fortify.
No,
to be judge or prophet
I don't entreat,
but, I am compelled,
forgive my effrontry,
to you, people, I repeat:
"People are we,
people are we,
People are we.
We quarrel;
we snarl with our taunts,
tread each other underfoot, with all our faults,
but our separateness,
on the whole, is false.
People are we,
never can we be separate.
Forgetting others—
ourselves we forget,
giving death to others—
we decree our own death."

The Wave of a Hand

When you lean out of a carriage window,
by the side of the sea
or a river strand,
on steppes
or by mountains, proud with snow,
you'll always see a brief wave of the hand—

движением стремительным обдутые
и полные своих удач и бед,
о машущем, конечно, вы не думаете —
вы просто тоже машете в ответ.
Да и о вас не думает он —
машущий.
Непроизволен этот добрый взмах —
солдат ли машет вам из роты маршевой
или мальчишка с бубликом в зубах.
И машут пастухи с лугов некошеных,
и рыбаки, таща в сетях кефаль,
и пальчиками, алыми на кончиках,
вас провожают ягодницы вдаль.
О взмах руки,
участья дуновение!
О взмах руки,
ничем ты нерастлим,
средь века,
так больного недоверием,
доверья изначального инстинкт!

И пальчикамии, алыми на кончиках,
все ягодницы всех на свете стран
Средь эдельвейсов,
миртов,
колокольчиков
нас провожают в звезды и туман.
Девчонок платья плещутся короткие.
Девчонки машут с радостью такой!
Всегда у рельс найдутся те, которые
махнут —
пускай ручонкой, не рукой!
Девчонки в развалившихся сабо!
Девчонки в ореолах из ромашек!
Как будто человечество само
себе,
куда-то едущему,
машет.

Болгария, 1960

a movement impetuously blown away there,
with your own success or failure replete,
of course, you don't think about the waver—
you just wave your hand and replying repeat.
And he doesn't think about you either—
that waver.
That good-natured wave is involuntary quite—
whether a squad-marching soldier waves away there,
or a kid with a pretzel, taking a bite.
From unmown fields a shepherd's wave lingers,
and fishermen hauling a catch in their nets,
and fruit pickers' long nimble fingers
see you off from afar with stained tips red.
Oh, wave of a hand,
a puff of fate ineffable!
Oh, wave of a hand,
in this century,
so sick with distrust,
you're still that incorruptible
instinct of trust elemental!

And those nimble fingers, stained at the tips,
of all earth's fruit pickers that exist
among edelweiss,
myrtle,
and buttercups,
accompany us in stars and mist.
Lassies in short dresses prancing.
Lassies' hands with gladness thrown up!
Always the railways give chances
for young hands waving,
if not grownups.
Lassies in haloes of daisies!
Lassies in old clogs on paving!
As if humanity,
going places,
to itself
is waving.

Bulgaria, 1960

Американский соловей

В стране перлона и дакрона
и ставших фетишем наук
я вдруг услышал кровный-кровный
неповторимо чистый звук.
Для ветки птица — не нагрузка,
и на одной из тех ветвей
сидел и пел он, словно русский,
американский соловей.
Он пел печально и счастливо,
и кто-то, буйствуя, исторг
ему в ответ сирени взрывы —
земли проснувшийся восторг.
То было в Гарварде весеннем.
В нем все летело кверху дном —
в смеющемся и карусельном,
послеэкзаменно хмельном.
Студенты пели и кутили,
и все, казалось, до основ
смешалось в радужном коктейле
из птиц, студентов и цветов.
Гремел он гордо, непреложно,
тот соловей, такой родной,
над полуправдою и ложью,
над суетливой говорней,
над всеми черными делами,
над миллионами анкет
и над акульими телами
готовых к действию ракет.
А где-то в глубине российской
такой же маленький пострел,
свой клювик празднично раскрывший,
его братишка, русский пел.
В Тамбове, Гарварде, Майами
на радость сел и городов
под наливными соловьями
сгибались ветви всех садов.

The American Nightingale

In the land of nylon and dacron,
where science a fetish is found,
I suddenly heard that old song,
that unrepeatable purest of sounds.
A bird on a twig's no burden crushing,
and on one of those twigs so frail,
sat singing, just like a Russian,
an American nightingale.
Happily and sadly he sang his verse,
then with a violent uproar came poesy
in reply—exploding lilac outbursts—
the earth's awakening ecstasy.
In Harvard's spring it came about,
everything topsy-turvy rotating—
in the laughing and roundabouting
of post-exam intoxication.
Merry songs were students concocting,
and everything, to their very bases,
mixed up in a rainbow cocktail,
birds, students, and flowers embracing.
He resounded immutably, proudly,
that nightingale, so akin,
over lies and half-truths crowding,
over clamorous vanity's din,
over all black deeds and courses,
over millions of questionnaires flocking,
and over the sharklike torsos
of ready-for-action rockets.
And somewhere in Russia's vastnesses
a similar little scamp,
opening his beak festively,
his Russian brother sang.
In Tambov, in Harvard and Yale,
to the joy of village and town,
under the ripeness of nightingales
the twigs of all orchards bent down.

Хлестала музыка, как вьюга,
с материка на материк...
Все соловьи поймут друг друга.
У них везде один язык.
Поют все тоньше, все нежнее
в единстве трепетном своем...
А мы-то, люди, неужели
друг друга так и не поймем?!

США, Гарвард, 1960.

Над земным шаром

Я улетаю далеко
и где-то в небе тонко таю.
Я улетаю нелегко,
но не грущу, что улетаю.

Я удивляюсь от всего
чем жил и жил, не утоляясь,
и удивляюсь, отчего
я ничему не удивляюсь.

Так ударяется волна
о берег с гулом долгим-долгим,
и удаляется она,
когда считает это долгом.

Я над сумятицею чувств,
над миром ссорящимся, нервным,
лечу. Или, верней, лечусь
от всех земных болезней небом.

Music like a snowstorm's frothing—
from mainland to mainland runs . . .
All nightingales understand each other.
Everywhere they have the same tongue.
Still more delicately, tenderly singing
in quivering unity—brothers . . .
Then surely we won't be failing
to understand each other?

Harvard, U.S.A., 1960

Above Earth's Sphere

I fly and fly, so far away,
thawing gently in the sky,
although it's hard to fly that way,
I do not grieve that I'm in flight.

At everything I'm still surprised
by which I lived, unsatisfied,
and I'm surprised at the reason why
at nothing at all am I surprised.

Thus it is the white wave beats
on the shore with rumblings muted,
and thus it is the wave retreats
when it reckons that's its duty.

Over emotion's hustle and bustle,
over the squabbling world I fly.
I cure. Or, rather, cure myself
of all earth's sickness by the sky.

Мне очень хочется прикрас.
И возникают, потрясая,
Каракас, пестрый, как баркас,
и каруселью — Кюрасао.

Но вижу зрением другим,
как продают и продаются
и как над самым дорогим,
боясь расплакаться, смеются.

Он проплывает подо мной,
неся в себе могилы чьи-то,
помятый жизнью шар земной,
и просит всем собой защиты.

Он кровью собственнной намок,
Он полон болью сокровенной.
Он словно сжатое в комок
страданье в горле у вселенной.

Повсюду базы возвели,
повсюду армии, границы,
и столько грязи развели
на нем, что он себя стыдится.

Но был бы я всецело прав,
когда бы, сумрачности полный,
в неверье тягостное впав,
узрел на нем одну лишь подлость?

Да, его топчут подлецы,
с холодной замкнутостью глядя,
но, сев на взрытые пласты,
его крестьяне нежно гладят.

На нем окурки и плевки
всех подлецов любой окраски,
но в мглистых шахтах горняки
его прихлопывают братски.

So much rich coloring I want to amass.
And then arises, shatteringly, curiously,
motley as a sailing bark—Caracas,
and whirling as a carousel—Curaçao.

But with another kind of sight I see,
how they are sold, and sell themselves too,
and fearing to weep unceasingly
over what's dearest they laugh all through.

It floats beneath me, in the air,
carrying within it somebody's graves,
kneaded with life this earthly sphere
and asks that by it all may be saved.

Soaked it is with its own blood,
the world with hidden pain is choked,
as if compressed into a lump
of suffering in the universe's throat.

Everywhere military bases are scattered,
everywhere armies, frontiers framed,
and over it so much filth is scattered,
that of its own very self it's ashamed.

But would I be completely just,
if, with gloominess overfilled,
I fell into an oppressive mistrust
and saw on it nothing but ill will?

Yes, all kinds of scoundrels trample it down,
with cold reticence peering,
but, sitting on the plowed-up ground,
peasants pat it endearingly.

With the refuse of butt ends and gob spits
scoundrels foul it eternally,
but in the shadowy shafts of the pits
miners slap it fraternally.

На нем, беснуясь, как хлысты,
кричат воинственно, утробно,
но по нему ступаешь ты
на каблучках своих так добро!

И пусть он видел столько бед
и слышал столько словоблудья,
на нем плохих народов нет
и только есть плохие люди.

Вращайся, гордый шар земной,
и никогда не прекращайся!
Прошу о милости одной —
со мной подольше не прощайся.

Но даже после смерти я
в тебя войду твоею частью,
и под гуденье бытия
со мной внутри ты будешь мчаться.

Тобой я стану шар земной,
и, словно доброе знаменье,
услышу я, как надо мной
шумят иные поколенья.

И я, для них сокрыт в тени,
ростками выход к небу шаря,
гордиться буду, что они
идут по мне — земному шару.

1962

Bestriding it, rage flagellants with whips,
bellylike bellowing bellicose,
but treading it with tiny heel tips,
you in your goodness go!

And through so much word-lechery it's heard,
and so much sorrow had,
there're no bad peoples on this earth,
for only people are bad.

So, proud sphere of earth, speed on
and never cease to whirl!
But for one favor I'm still pleading—
don't for long yet bid me farewell.

But even then, after my death,
I'll merge and become a part of you,
and under being's bustling breath
you'll whirl with me in the heart of you.

You, sphere of earth, shall I become,
and, like an omen's auspicious indication,
over me I'll hear the hum
and clamor of other generations.

And I, for them in shadows veiled,
to the sky with groping shoots appear,
and proud I'll be that now they'll
go over me—their earthly sphere.

1962

Одиночество (Верность)

Как стыдно одному ходить в кинотеатры,
без друга,
без подруги,
без жены,
где так сеансы все коротковаты
и так их ожидания длинны!
Как стыдно —
в нервной замкнутой войне
с насмешливостью парочек в фойе
жевать,
краснея,
в уголке пирожное,
как будто что-то в этом есть порочное!..
Мы,
одиночества стесняясь,
от тоски
бросаемся в какие-то компании,
и дружб никчемных обязательства кабальные
преследуют до гробовой доски.
Компании нелепо образуются —
в одних все пьют да пьют,
не образумятся.
В других все заняты лишь тряпками и девками,
а в третьих —
вроде спорами идейными,
а приглядишься —
те же в них черты.
Разнообразны формы суеты!
То та,
то эта шумная компания...
Из скольких я успел удрать —
не счесть!
Уже как будто в новом был капкане я,
но вырвался,
на нем оставив шерсть!

Loneliness (Faithfulness)

How ashamed one is to go to the movies alone,
when no wife,
no girl,
no friend goes along,
where so short are the film shows
and waiting for them so long![1]
How ashamed one is—
in that locked-in war of nerves
with couples in the lobby looking scoffingly—
to munch cake,
blushingly,
in a corner curve,
as if there was in it some kind of depravity! . . .
We,
embarrassed by loneliness,
seeking stimulation,
fling ourselves into some kind of company new,
and worthless friendship's servile obligations
to the very brink of the grave we pursue.
In various foolish cliques we enroll—
in some they just drink
and are never disabused.
In others merely busy with glad rags and dolls,
and in the rest—
opponents political arguments pursue,
but look carefully—
in them the same traits can be seen.
How varied are the forms of vanity!
There's this,
there's that noisy company . . .
I managed to escape from—
so many!
As if I had been caught in a new kind of trap,
but, leaving behind bits of fur,
I escaped!

[1] In the U.S.S.R. there are no continuous film shows—each is booked like a theater, and the audience waits in the foyer for the previous audience to exit.

Я вырвался!
Ты впереди,
пустынная
свобода.
Но на черта ты нужна!
Ты милая,
но ты же и постылая,
как нелюбимая и верная жена.
А ты, любимая?
Как поживаешь ты?
Избавилась ли ты от суеты,
и чьи сейчас глаза твои раскосые
и плечи твои белые роскошные?
Так мало лет с той встречи минуло,
и вот —
такая пошлость!
Какая это подлость,
милая,
какая подлость!
Ты думаешь, что я, наверно, мщу,
что я сейчас в такси куда-то мчу,
но, если я и мчу,
то где мне высадиться?
Ведь все равно мне от тебя не высвободиться!
Со мною женщины в себя уходят,
чувствуя,
что мне они сейчас такие чуждые.
На их коленях головой лежу,
но я не им —
тебе принадлежу.

А вот недавно был я у одной —
в невзрачном домике на улице Сенной.
Пальто повесил я на жалкие рога.
Под однобокой елкой с лампочками тускленькими,
посвечивая беленькими туфельками,
сидела женщина,
как девочка, строга.
Мне было так легко разрешено
приехать,
что я был самоуверен,

I escaped!
You're ahead of me,
freedom's
desert.
But who the hell needs you?
You're nice,
but you're just as disgusting
as an unloved wife, so faithful and trusting.
And you, my beloved?
How's life now?
Have you got rid of vanity's blight?
And whose are your slanting eyes now
and your shoulders, luxurious and white?
Since our last meeting—but a few years,
and yet look—
such banalities!
How base it all is,
my dear,
how base it is!
You think I'm vindictive, no doubt,
that I've grabbed a taxi and rush off to pursue,
but, if I'm rushing,
where shall I get out?
No matter what, I can't free myself of you!
With me, women retreat into themselves,
sensing
that more and more foreign to me they grew.
I lay my head on their laps, musing,
that I don't belong to them—
I belong to you.

Why, not so long ago a girl I went to see—
in a plain-looking house in Sennaya Street.
I hung my coat on two wretched antlers curled.
Under a one-sided Xmas tree with pale lamps alight,
shining with her little slippers of white,
sat a woman,
as stern as a girl.
I was so easily permitted to visit her late,
so fully self-confident
was I.

и, слишком упоенно современен,
я не цветы привез ей,
а вино.
Но оказалось все куда сложней!
Она молчала,
и совсем сиротски
две капельки прозрачных —
две сережки
дрожали в мочках розовых у ней.
И, как больная,
глядя так невнятно,
поднявши тело слабое свое,
сказала глухо:
«Уходи.
Не надо.
Я вижу —
ты не мой,
а ты —
ее...»

Меня любила девочка одна
с повадками мальчишескими, дикими,
с летящей челкой
и глазами-льдинками,
от страха и от нежности бледна.
В Крыму мы были.
Ночью шла гроза,
и девочка под молнией магнийной
шептала мне:
«Мой маленький!
Мой маленький!» —
ладонью закрывая мне глаза.
Вокруг все было жутко и торжественно:
и гром
и моря стон глухонемой.
И вдруг она,
полна прозренья женского,
мне закричала:
«Ты не мой!
Не мой!»»

that, too carried away with being up-to-date,
I brought her no flowers,
just wine.
But it turned out to be far more complicated!
She sat silent,
and two transparent tear-drops—
two earrings,
like orphans isolated,
quivered in her rosy earlobes.
And like one sick,
looking so inarticulate,
her weak body hardly stirs,
said she dully:
"Go away.
It's too late.
I see—
you're not mine.
You—
are hers. . . ."

Then another girl loved me, wild
with the habits of a child,
with icicle-eyes
and forelocks flying,
pale from gentleness and fear.
It was a stormy night
in the Crimea,
and the girl, under magnesia lightning,
"My dear one!
My dear!"
She whispered tumultant,
putting her palms over my eyes.
All around everything was painful and exultant,
the thunder
and the sea's deaf and dumb cries.
Then suddenly,
with feminine intuition filled,
"You're not mine!
Not mine!"
she wailed in distress.

Прощай, любимая!
Я твой,
угрюмо,
верно,
и одиночество всех верностей верней.
Пусть на губах моих не тает вечно
прощальный снег от варежки твоей.
Спасибо женщинам,
прекрасным и неверным,
за то, что это было все мгновенным,
за то, что их «прощай» —
не «до свиданья»,
за то, что, в лживости так царственно горды,
даруют нам блаженные страданья
и одиночества прекрасные плоды.

1960

Улыбки

У тебя было много когда-то улыбок:
удивленных, восторженных, лукавых улыбок,
порою чуточку грустных, но все-таки улыбок.
У тебя не осталось ни одной из твоих улыбок.
Я найду поле, где растут сотни улыбок.
Я принесу тебе охапку самых красивых улыбок,
а ты мне скажешь, что тебе не надо улыбок,
потому что ты слишком устала от чужих и моих улыбок.
Я и сам устал от чужих улыбок.
Я и сам устал от моих улыбок.
У меня есть много защитных улыбок,
делающих меня еще неулыбчивее — улыбок.
А в сущности, у меня нет улыбок.
Ты в моей жизни последняя из улыбок,
улыбка, на лице у которой никогда не бывает улыбок.

Farewell, beloved!
Grimly,
faithfully,
I'm yours still,
and loneliness the most faithful of all faithfulness.
Let not leavetaking snow on your glove tips
melt forever on my lips.
It's thanks to women,
so beautiful and faithless,
that it was all so fleetingly fated,
that their "Good-by"
is not "Au revoir" brief,
that in the queenly pride of their deceptiveness,
such blissful sufferings they give
and the beautiful fruits of loneliness.

1960

Smiles

At one time you had so many smiles:
astonished, rapturous, roguish smiles,
sometimes a little sad, but all the same smiles.
But now there's not left even one of your smiles.
I'll find a field where grow hundreds of smiles.
I'll bring you a handful of the loveliest smiles,
but you'll tell me that now you don't need any smiles,
that you're so tired of others' and my own smiles.
And I'm tired too of others' smiles.
And I'm tired too of my own smiles.
I have so many defensive smiles,
making-me-still-more-unsmiling smiles.
But virtually I haven't any more smiles.
You, in my life, are the last of my smiles,
a smile, on whose face there are no more smiles.

Я старше себя на твои тридцать три,
и все, что с тобою когда-нибудь было,
и то, что ты помнишь, и то, что забыла,
во мне словно камень, сокрытый внутри.

Во мне убивают отца твоего,
во мне твою мать на допросы таскают.
Во мне твои детские очи тускнеют,
когда из лекарств не найти ничего.

Во мне ты впервые глядишь на себя
в зеркальную глубь не по-детски — по-женски,
во мне в боязливо бесстрашном блаженстве
холодные губы даешь, не любя.

А после ты любишь, а может быть, нет,
а после не любишь, а может быть, любишь,
и листья и лунность меняешь на людность,
на липкий от водки и «Тетры» паркет.

В шитье и английском ты ищешь оград.
Бросаешься нервно в какую-то книгу.
Бежишь, словно в церковь, к Бетховену, Григу,
со стоном прося об охране орган.

Но скрыться тебе никуда не дают.
Тебя возвращают в твой быт по-кулацки,
и, видя, что нету в тебе покаянья,
тебя по-кулацки — не до смерти — бьют.

Ты молча рыдаешь одна в тишине,
рубашки, носки ненавидяще гладя,
и мартовской ночью, невидяще глядя,
как будто во сне ты приходишь ко мне.

I am older myself . . .

I am older myself by your thirty-three,
and all that has ever happened to you,
and all you remember, all forgotten by you,
just like a stone is secreted within me.

Within me your father they murder,
within me your mother they third degree.
Within me your childlike eyes are blurred
when medicines bring you no ease.

Within me yourself, as in a looking glass,
no longer a child but a woman you see,
within me in fearful, yet fearless, bliss,
your lips you give coldly, unlovingly.

But later you love, or maybe no more,
then later don't love, or maybe, you do.
For crowds you exchange the leaves and the moon,
and a sticky-from-vodka parquet floor.

In sewing and English for barriers you seek.
In a book you bury yourself on your own.
As in church take refuge in Beethoven, Grieg,
for an organ's sanctuary plead with a moan.

But they don't let you hide yourself anywhere.
To your life kulak-like you are always sent back,
and, seeing in you no repentance or prayer,
you are not beaten to death—as by a kulak.

You silently sob alone in the quiet,
shirts and socks so hatefully smoothing,
and, with unseeing eyes, in a dark March night,
as in a dream, to me come for soothing.

Потом ты больна, и, склонясь над тобой,
колдуют хирурги, как белые маги,
а в окнах, уже совершенно по-майски,
апрельские птицы галдят вперебой.

Ты дважды у самой последней черты,
но все же ты борешься, даже отчаясь,
и после выходишь, так хрупко качаясь,
как будто вот-вот переломишься ты.

Живу я тревогой и болью двойной.
Живу твоим слухом, твоим осязаньем,
живу твоим зреньем, твоими слезами,
твоими словами, твоей тишиной.

Мое бытие — словно два бытия.
Два прошлых мне тяжестью плечи согнули.
И чтобы убить меня, нужно две пули:
две жизни во мне — и моя, и твоя.

Любимая, спи...

Соленые брызги блестят на заборе.
Калитка уже на запоре.
                                И море,
дымясь, и вздымаясь, и дамбы долбя,
соленое солнце всосало в себя.
Любимая, спи...
                        Мою душу не мучай.
Уже засыпают и горы и степь.
И пес наш хромучий,
                                лохмато-дремучий,
ложится и лижет соленую цепь.

Then you are ill, and over you bending
doctors, like white magicians incanting,
and in the windows, already May blending,
sweet April birds are competingly chanting.

To the very last frontier twice you have reached,
but still you fight on, with a desperate laugh,
and after emerged, so fragile and weak,
as if any moment you'll break in half.

I live with twofold pain and anxiety,
I live with your hearing, your sensitiveness,
I live with your words, with your quietness.
I live with your seeing, your tearfulness.

My being is really two beings in one.
Two pasts with their weight my backbone endures,
and in order to kill me two bullets must come,
for two lives are in me—both mine and yours.

Sleep, My Beloved, Sleep

Over the fences the salt spray scintillates.
Already locked is the wicket gate.
And the seas spate
ram-slams the dam, then, hazing and heaving,
into itself salt-sunshine is breathing.
Sleep, my beloved . . .
Torment not my soul.
Already sleeping are mountains and leas.
While our lame doggy lolls,
so shaggy and old,
lazily licking his salt-sprayed leash.

И море — всем топотом,
и ветви — всем ропотом,
и всем своим опытом —
пес на цепи,
и я тебе шепотом,
потом — полушепотом,
потом — уже молча:
«Любимая, спи...»
Любимая, спи...
Позабудь, что мы в ссоре.
Представь:
просыпаемся.
Свежесть во всем.
Мы в сене.
Мы сони.
И пахнет мацони
откуда-то снизу, из погреба —
в сон.
О, как мне заставить
все это представить
тебя, недоверу?
Любимая, спи...
Во сне улыбайся
(все слезы — отставить!),
цветы собирай и гадай,
где поставить,
и в них, задыхаясь, лицо утопи.
Бормочется?
Видно, устала ворочаться?
Ты в сон завернись и
окутайся им.
Во сне можно делать все то, что захочется,
все то, что бормочется,
если не спим.
Не спать — безрассудно
и даже подсудно —
ведь все, что подспудно,
кричит в глубине.
Глазам твоим трудно.
В них так многолюдно.

And the sea with its trampling,
the branches gruff grumbling,
experience humbling—
a dog on a leash.
And to you—in a whisper,
then a half-whisper,
then silently:
"Sleep, my beloved, sleep . . ."
Sleep, my beloved . . .
forget rows unseemly.
Imagine:
we're wakening.
All things freshly gleam.
In hay we're deep-dreamy.
And beneath us is seeping
sour milk's aroma,
from the cellar—
in dreams.
How can I compel you
all this to conceive?
You, the distrustful?
Sleep, my beloved, sleep . . .
Smile in your sleep
(not a trace of tears leave!)
Gather fresh-flower sprays,
fuss where they'll keep,
bury your face in them, breath-taking, deep.
You're muttering in sleep?
Tired of twisting and fuddling?
Wrap yourself in your dreams,
into them cuddling.
All that we dream we can do in our dreams,
all that we're muttering,
when not asleep.
Not to sleep's reckless
and judgment-inflicting—
for all that is secret—
cries out in the deep.
Your eyes trouble-clouded,
with people so crowded,

Под веками легче им будет во сне.
Любимая, спи...
Что причина бессоницы?
Ревущее море?
Деревьев мольба?
Дурные предчувствия?
Чья-то бессовестность?
А может, не чья-то,
а просто моя?
Любимая, спи...
Ничего не попишешь.
Но знай, что невинен я в этой вине.
Прости меня — слышишь!
Люби меня — слышишь!
Хотя бы во сне!
Хотя бы во сне!
Любимая, спи...
Мы на шаре земном,
свирепо летящем,
грозящем взорваться,
и надо обняться,
чтоб вниз не сорваться,
и если сорваться —
сорваться вдвоем.
Любимая, спи...
Ты обид не копи...
Пусть соники тихо в глаза заселяются.
Так тяжко на шаре земном засыпается!
И все-таки —
слышишь, любимая? —
спи.
И море — всем топотом,
и ветви — всем ропотом,
и всем своим опытом —
пес на цепи,
и я тебе — шепотом,
потом — полушепотом,
потом — уже молча:
«Любимая, спи...»

neath eyelids shrouded, lie lighter in sleep.
Sleep, my beloved . . .
What cause for not sleeping?
The seas surly seething?
Green trees entreating?
Evil foreseeing?
Someone's dishonesty?
Or maybe not someone,
but merely just me?
Sleep, my beloved . . .
No more can I do here.
But know, I am guiltless though guilt there may be.
Forgive me—d'you hear?
Still love me—d'you hear?
If only in dreams!
If only in dreams!
Sleep, my beloved . . .
on earth's sphere we're holding,
despite furious forebodings
and threats of exploding,
so as not to be blown off
let's cling to each other,
and then if we're blown off—
we'll be blown both together.
Sleep, my beloved . . .
past wrongs don't remember . . .
Let little dreams quietly people your eyes.
How hard on this earth to sink into slumber!
Still,
sleep, my beloved,
with all my good-nights.
And the sea with its trampling,
the branches gruff grumbling,
experience humbling—
a dog on a leash.
And to you—in a whisper,
then—a half-whisper,
then—silently:
"Sleep, my beloved, sleep."

Нет, — мне ни в чем не надо половины!

Нет, — мне ни в чем не надо половины!
Мне — дай все небо! Землю всю положь!
Моря и реки, горные лавины —
мои! Не соглашаюсь на дележ!

Нет, жизнь, меня ты не заластишь частью.
Все полностью! Мне это по плечу.
Я не хочу ни половины счастья,
не половины горя не хочу!

Хочу лишь половину той подушки,
где бережно прижатое к щеке,
беспомощной звездой, звездой падучей
кольцо мерцает на твоей руке.

Дядя Вася

Б. Окуджаве

То зелено,
то листьев порыженье,
То мелкое сухое порошение,
А дядя Вася пишет прошения,
прошения,
прошения,
прошения.
Он пишет их задаром,
не за что-то:

Nothing by Halves Will Do for Me!

No—nothing by halves will do for me!
Give me the whole sky! The whole world—wide!
Mountain avalanches, rivers, seas—
are mine! I won't agree to divide!

No, life, with a part you won't con me and salve.
The whole complete! My back can bear the brunt.
I don't want of happiness merely half,
nor a half of sorrow do I want!

But of that pillow I want only a half,
where, pressed to a cheek, protectingly,
a helpless star, a falling star
of that ring on your finger twinkles to me.

Uncle Vassya

For Bulat Okudjava[1]

First green leaves,
then brown their condition,
then powdery snow is swishing,
but Uncle Vassya's still penning petitions,
petitions,
petitions,
petitions.
He writes them for free,
not for the fees:

[1] Together with Yevtushenko & Voznesensky one of the most popular poets in the Soviet Union.

Не за себя он просит,
за кого-то.
И это его вечная забота,
высокая и добрая работа.
Не веря ни в иконы,
ни в молитвы,
он верит,
дядя Вася,
в государство,
и для больного полиомиэлитом
он просит заграничное лекарство.
Он просит,
чтобы всем квартиры дали,
чтобы коляски инвалиды все имели.
Он хочет,
чтобы люди не страдали,
Он хочет,
чтобы люди не болели,
А дяде Васе семьдесят четыре...
И уж казалось, он привыкнуть должен,
Что столько неустроенного в мире...
Но не привык.
До этого не дожил.
Он одинок.
Живет он вместе с веточкой,
Поставленной в бутылку из-под пива.
Зимою он окутывает ваточкой
Ей корешки застенчиво,
счастливо.
И дяде Васе очень странным кажется,
Что все я в жизни путаю и комкаю.
Моей любимой,
самой первой,
карточку
он, отобрав,
повесил в своей комнатке.
У дяди Васи сердце разрывается.
Он помнит, как друг друга мы любили,
И, с карточкой ночами разговаривая,

and not for himself,
but for others he pleads,
such concern is his eternal condition,
a high and noble ambition.
He doesn't believe in prayers
or holy ikons,
but in the State
Uncle Vassya's belief
is sure,
as if for someone stricken with poliomyelitis
he petitions for the latest foreign cure.
He petitions
that apartments be given to all,
that invalids should have chairs self-propelled.
He wants
no one ever to suffer at all.
He wants
no one ever to be unwell.
By now Uncle Vassya is seventy-four . . .
By now it seems he should be acclimatized
to so much wrong in the world as before . . .
But he can't get used to it.
For that he hasn't survived.
He's alone.
Lives together with a wattle
planted in an old beer bottle.
In winter he wraps up in wadding
its roots shyly,
happily nodding.
To Uncle Vassya it always seems odd though,
that to spoil my life I'm doomed.
My very first
girl friend's
photo
he picked out
and hung up in his room.
Uncle Vassya's own heart is breaking.
He remembers how we loved each other,
and at night to her photo talking

Он просит,
чтоб мы снова вместе были.
Он ходит прямо,
сухонький,
тревожный,
всегда готовый за людей бороться,
в шинели ветхой, железнодорожной,
с калининскою острою бородкой.
Все бегает,
а он ведь очень старый,
и старость излечить на свете нечем,
но я не верю,
что его не станет.
Мне кажется,
что дядя Вася вечен.
Он вечен,
как страдания людские.
А жалости к ним столько накопил он!
Проводником возил он всю Россию
В своем вагоне жестком,
некупированном.
Все войны, войны —
мировая первая,
Гражданская,
вторая мировая,
но так же,
так же инвалиды пели,
невидящие очи раскрывая.
Горели села за стеклом оконным.
В тифу,
в крови Россия утверждалась,
и умирала на полу вагонном,
и на полу вагонном вновь рождалась.
Была дорога у России дальняя,
И дядя Вася был в дороге этой

he pleads
we should still come together.
He walks dried up,
troubled,
erect,
to fight for people ever ready,
in a railwayman's old greatcoat wrapped,
with a Kalinin[2] beard, pointed and ruddy.
He's always on the run
and yet he's getting old,
and for old age there's no cure in the world.
Still I can't ever believe
he'll cease to be.
Uncle Vassya's immortal,
so it seems to me.
He is as immortal
as the sufferings of men.
And for them how much pity he has saved!
As a conductor he transported all Russia in a train,
in a hard-seated carriage,
no sleeper soft,[3]
through all the wars—
the First World War,
the Civil War,
and World War Two.
But the invalids sang,
just as before,
and unseeing eyes they opened too.
Through the glass windows burned villages fired.
In typhoid,
in blood Russia strengthened and grew,
and on carriage floors lay down and died,
and on carriage floors gave birth anew.
Long and distant was the road of Russia,
and along that road Uncle Vassya has been

[2] A former and popular President of the U.S.S.R.

[3] In the U.S.S.R., railways still have several classes—hard seats (3rd class), soft (2nd class), and de luxe coupés (1st class).

И лекарем,
и бабкой повивальною,
И агитпропом
и живой газетой.
Он всех поил, какою мог, бурдою,
Всех утешал,
кого бедой мотало.
Была его работа добротою,
И доброта сейчас
работой стала.
Когда домой я поздно возвращаюсь,
Я вижу, добрый свет в окне его не гаснет.
Кому-то дядя Вася возражает,
кого-то защищает дядя Вася.
Пусть кто-то в постоянном напряжении
лишь за свое на свете положение,
а дядя Вася пишет прошения,
прошения,
прошения,
прошения...

Верлен

Мне гид цитирует Верлена,
Париж рукою обводя,
так умиленно,
так елейно
под шелест легкого дождя.

a family midwife
and a physician,
an "agitpropagandist"[4]
and a living newspaper.
He served watery tea to anyone in need,
comforted everyone
misfortune had struck down.
His work was good-natured and kind indeed,
and kindness
has become his calling now.
And when I return home late at night,
I see his goodly light still shining bright.
To someone Uncle Vassya is protesting,
for someone Uncle Vassya is contesting.
Let someone else have nerve-racked ambition,
fighting merely for his own position,
But Uncle Vassya will be penning petitions,
petitions,
petitions,
petitions. . . .

Verlaine

Indicating Paris with his hand
my guide glibly quotes Verlaine,
so touching,
so fawningly bland,
under the whisper of dainty rain.

[4] A political agitator and propagandist sent out by the C.P. during the Civil War—known by the nickname of an "AGITPROP."

И эти строки невозвратно
журчат, как звездная вода...
«Мосье,
ну как,
звучит приятно?»
Киваю я:
«Приятно... Да...»
Плохая память у Парижа,
и, как сам бог теперь велел,
у буржуа на полках книжных
стоит веленевый Верлен.
Приятно,
выпив джина с джусом
и предвкушая крепкий сон,
вслух поцитировать со вкусом...
Верлена чтить —
хороший тон!
Приятно, да?
Но я припас вам
не вашу память,
а свою.
Был вам большая неприятность
Верлен.
Я вас не узнаю.
Он не укладывался в рамки
благочестиво лживых фраз,
а он прикладывался к рюмке
и был безнравственным для вас.
Сужу об этом слишком быстро?
Кривитесь вы...
Приятно, да?
Убило медленным убийством
его все это, господа.

And those words surge and swirl along,
as starry waters onward press . . .
"Monsieur,
what d'you think?
It's pleasant, non?"
I nod my head.
"It's pleasant . . . Yes . . ."
Paris has a poor memory of itself,
and, as if decreed by God's grace,
on every bourgeois bookshelf
Verlaine's volumes in vellum are placed.
Drinking Dubonnet is pleasant,
yes,
and anticipating a pleasant sleep again,
to recite him by heart with finesse . . .
It's very good form
to revere Verlaine!
It's pleasant, yes?
But I've in store for this
not your memory,
but my own.
You had a great deal of unpleasantness
with Verlaine.
You I do not know.
He didn't fit into any frame
of phrases false and hollow,
but applied himself to the drinking game
and was too immoral for you to swallow.
Do I judge about this too quickly then?
You squirm . . .
It's pleasant, yes?
He was done to death slowly, gentlemen,
by all this deathliness.

Его убило все, что било
насмешками из-за угла,
все, что моралью вашей было,
испепеляющей дотла.
Приятно, да?
Ну чтож, бывает...
Я с болью думаю о том:
Вы всех поэтов убиваете,
чтобы цитировать потом!

Париж, 1960

Ограда

В. Луговскому

Могила,
ты ограблена оградой.
Ограда, отделила ты его
от грома грузовых,
от груш,
от града
агатовых смородин.
От всего,
что в нем переливалось, мчалось, билось,
как искры из-под бешеных копыт.
Все это было буйный быт —
не бытность.
И битвы —
это тоже было быт.

He was murdered by everything that, derisively,
sniped from behind every corner,[1]
by everything that was your moralizing,
reducing everything to ashes burning.
It's pleasant, yes?
                    Well, it happens still . . .
With what pain this fact is noted:
All us living poets you kill
in order, afterwards, to quote us!

Paris, 1960

The Barrier

To V. Lugovskoy

Grave,
        you are by graven stones ground-bound.
You separated him, barrier-boundary,
from grinding traffic,
                        from fruit,
                                    from the gravid clustering down
of agate currants,
                    from everything compounded
in him that was abundant, o'erbounding, beating,
like sparks from under mad galloping hoofs.
All this was living life—
                            not bare being.
And battles—
                they were also being too!

[1] See Mayakovsky's "About This":
        "From behind a corner
                                one could knife me."
Mayakovsky (New York: Hill & Wang, 1965), p. 209.

Был хряск рессор
и взрывы конских храпов,
покой прудов
и сталкиванье льдов,
азарт базаров
и сохранность храмов,
прибой садов
и груды городов.
Подарок — делать созданный подарки,
камнями и корнями покорен,
он, словно странник, проходил по давке
из-за кормов и крошечных корон.
Он шел,
другим оставив суетиться.
Крепка была походка и легка
серебряноголового артиста
со смуглыми щеками моряка.
Пушкинианец, вольно и велико
он и у тяжких горестей в кольце
был как большая детская улыбка
у мученика века на лице.
И знаю я —
та тихая могила
не пристань для печальных чьих-то лиц.
Она навек неистово магнитна
для мальчиков, цветов, семян и птиц.
Могила,
ты ограблена оградой,
но видел я в осенней тишине:
там две сосны растут, как сестры, рядом —
одна в ограде и другая вне.
И непреоборимыми рывками,
ограду обвиняя в воровстве,
та, что в ограде,
тянется руками
к не огражденной от людей сестре.
Не помешать ей никакою рубкой!
Обрубят ветви —
отрастут опять.

There was screeching of springs,
and snorts of horses snoring,
lakes' placidity
and icebergs' crash-bang splitting,
bizarre bazaars
and cathedrals' consecrated soaring,
the ebb tide of gardens
and the solids of cities.
A gift—given to create gifts,
by rocks and roots ground down,
he, like a wanderer, passed through the drift
ignoring nose bags and crumby crowns.
Leaving others to fuss,
he went his way,
light his step, yet firm and strong,
an artist's hair of silver-gray
with a sailor's complexion of bronze.
A Pushkinophile, great and free of style,
but, even when by sorrows deep encased,
he was like a great big childlike smile
on the martyr-century's face.
But I know—
that quiet grave
is no refuge for some mournful face to lower.
It is, forever, a fierce magnet enclave
for seeds and youngsters, birds and flowers.
Grave,
you are by graven stones ground-bound,
but side by side in the autumn quiet
two pines, like sisters, there are found—
one inside the grave and one outside.
And accusing those barriers of theft,
the grave-bound one—thrusting irresistible—
stretches out its arms to the other,
bereft
of her—still unbarriered from man—sister pine.
By no amount of lopping will she come to harm!
Lop off one branch—
another will grow again.

И кажется мне —
это его руки
людей и сосны тянутся обнять.
Всех тех, кто жил, как он, другим наградой,
от горестей земных, земных отрад
не отгородишь никакой оградой.
На свете нет еще таких оград.

1961

Мать Маяковского

В мягком старенькoм кресле сидит она,
ласково глядя
на гостей молодых,
на веселье,
на споры и пыл.
Угощает вареньем:
«Айвовое...
Из Багдади...
Обязательно кушайте.
Он его очень любил...»
Для нее он всегда
был худым и простуженным,
до варенья охотником и пастилы —
словом, просто Володей,
которому нужно
дать поесть,
чай согреть
и постель постелить.
Сразу было ей ясно,
когда тосковал он о ком-то,

And it seems to me—
his two arms
stretch out to embrace both trees and men.
All those who lived, like him, for others' recompense,
from earthly sorrows, from earthly mirth
by no kinds of barriers can be enfenced.
For no such barriers yet exist on earth.

1961

Mayakovsky's Mother

She sits in a soft old-fashioned armchair,
eyeing gladly
her young guests,
their jests,
disputes and ponderings.
She treats them to jam:
"Quinces . . .
from Bagdadi . . .[1]
You must try it.
"He was very fond of it."
For her he was always the lanky one,
catching cold,
always scrounging sweets, and more jam on his bread.
In a word, simply Volodya,
for whom, as of old,
she'd get the tea,
give to eat,
and make the bed.
She knew at once
when he sighed over someone or something.

[1] Mayakovsky's birthplace in Georgia

но она не могла разобраться во многом другом,
и ту самую
страшную желтую кофту,
чуть вздыхая,
гладила утюгом.
Он гремел на эстрадах,
веселый и грозно остривший,
но она-то ведь знала, как дома потом,
ей в колени упав головою остриженной,
он дышал тяжело
со стиснутым ртом...
Без него ей так трудно,
да и мало уж силы...
В мягком стареньком кресле сидит она, руки
сложив.
Ей сегодня гости опять
про сына
говорят, что не умер,
что с ними,
что жив.
Говорят про бессмертье,
про все такое...
Ну, а ей бы
припасть к нему просто на грудь,
его жесткую голову
медленно
тронуть рукою
и за то, что так часто он курит,
его упрекнуть.

1954

But there were many other things she couldn't understand,
like that dreadful yellow jacket,[2]
for one thing,
which, sighing a little,
she ironed with gentle hands.
He thundered on platforms,
with merry and threatening jests.
But she alone knew, that, at home after such a night,
he'd sink his close-cropped head on her lap and rest,
still breathing heavily,
with mouth clenched tight. . . .
It's so difficult without him,
and she hasn't much strength any more. . . .
She sits in a soft old-fashioned armchair,
hands folded.
Her guests today
go on about her son, as before,
telling her, he didn't die,
he's with them still,
alive as of old.
They speak of immortality . . .
things of that sort are said.
But all she wants
would be simply to lean on his great chest,
slowly
stroke with her hand
his tough close-cropped head,
and for smoking too much, chide him once more,
as she knows best.

1954

[2] In his youthful Futurist days, Mayakovsky sported a yellow waistcoat and a top hat!

Про Тыко Вылку

Запрятав хитрую ухмылку,
я расскажу про Тыко Вылку.
Быть может, малость я навру,
но не хочу я с тем считаться,
что стал он темой диссертаций, —
мне это все не по нутру.

Ведь, между прочим, эта тема
имела — черт их взял бы! — тело
порядка сотни килограмм.
Песцов и рыбу продавала,
оленей в карты продувала,
унты, бывало, пропивала,
и, мажа холст, не придавала
значенья тонким колерам.

Им восторгались с жалким писком,
как первым ненцем-живописцем,
а он себя не раздувал,
и безо всяческих загадок
он рисовал закат — закатом
и море — морем рисовал.

Был каждый глаз у Тыко Вылки,
ну, словно щелка у копилки,
и он копил, как скряга, хмур,
не медь потертую влияний,
а блики северных сияний,
и блестки рыбьих одеяний,
и переливы нерпьих шкур.

«Когда вы это все учтете? —
искусствоведческие тети
внушали ищущим юнцам.
— Из вас художников не выйдет!
Вот он — рисует все, как видит.
К нему на выучку бы вам!»

About Tyko Virk

Hiding a cunning smirk
I'll tell you about Tyko Virk.
Maybe I'll fib a little bit,
dodging the fact, I'll admit,
that a theme for a thesis he became—
that really goes against the grain.

You see, this theme I found
had a body—the devil take it!—
of some two hundred pounds.
Foxskins and fishes it traded,
reindeer at cards it gambled away,
fur boots, at times, it guzzled,
and, daubing the canvas, didn't pay
attention to colortones subtle.

He was applauded with plaudits artless
as the first Samoyed[1] artist.
Yet, he didn't get a swelled head
and without any particular mystery
he painted the sunset—as a sunset;
the sea—he painted as a sea.

Each one of the eyes of Tyko Virk
looked just like a piggy-bank chink,
and he saved up, like a miser moiling,
not influences' worn-out copper coinage
but the glitter of aurora borealis,
the phosphorescent flicker of fishes
and the color play of sealskin swishes.

"When will you sum up all this learning?"
Professorial academic aunties
instructed inquiring youngsters sternly.
"You'll never become real artists.
Everything as he sees it he's painting—
you ought to go to him for training!"

[1] One of the original tribes that inhabit the northern Arctic region, now called in Russian the Nentsi.

Ему начальник раймасштаба,
толстяк, грудастый, словно баба,
самоуверенно брюхат,
сказал: «Оплатим все по форме:
изобрази меня на фоне
оленеводческих бригад.

Ты отрази и поголовье,
и лица, полные здоровья,
и трудовой задор и пыл...
Но чтобы все в натуре вышло!»
«Начальник, я пишу, как вижу...»
И Вылка к делу приступил.

Он, в краски вкладывая нежность,
изобразил оленей, ненцев
и — будь, что будет, все равно! —
как завершенье на картине
с размаху шлепнул посредине
большое грязное пятно.

То был для Вылки очень странный
прием, по сущности, абстрактный,
и в то же время сочный, страстный
реалистический мазок.

Смеялись ненцы и олени,
и лишь начальник в изумленье,
сочтя все это за глумленье,
никак узнать себя не мог.

И я восславляю Тыко Вылку!
Пускай он ложку или вилку
держать, как надо, не умел, —
зато он кисть держал, как надо,
зато себя держал, как надо, —
поскольку гордость он имел!

1964

The Chief of District Status,
like a woman, big-bosomed and round,
fat-bellied, self-opinionated:
"We'll pay for everything at T.U. rates.
Just paint me on the background
of leading reindeer-breeding brigades."

"Also our livestock numbers you must show
and faces with ruddy health aglow
and labor enthusiasm amidst the snowfall . . .
but see that everything comes out natural!"
"Chief, I draw as I see," said Virk.
And thereupon Virk set to work.

Mixing his color-glow with tenderness,
he depicted the reindeer, the Samoyeds
and—let be what will be, it's all the same!—
as the climax within the picture frame
in the center, with a broad gesture, he slapped
a great big dirty blob of black.

For Virk that was a very strange tack
of style, for basically it was abstract,
yet at the same time a rich, lush
realistic stroke of the brush.

The Samoyeds and reindeer laughed away
and the Chief alone gaped in dismay,
taking this to be sarcastic jeering
and couldn't recognize his own appearance.

I, too, glorify Tyko Virk!
Even if a knife and fork
he didn't know how to hold—
But how to hold a brush he knows,
how to hold himself he knows—
since such is the pride of his soul!

1964

Юмор

Цари, короли, императоры,
властители всей земли,
командовали парадами,
но юмором — не могли.

В дворцы именитых особ,
все дни возлежащих выхоленно,
являлся бродяга — Эзоп,
и нищими они выглядели.

В домах, где ханжа наследил
своими ногами щуплыми,
всю пошлость Ходжа Насреддин
сшибал, как шахматы, шутками!

Хотели юмор купить —
да только его не купишь!
Хотели юмор убить,
а юмор показывал кукиш !

Бороться с ним — дело трудное.
Казнили его без конца.
Его голова отрубленная
торчала на пике стрельца.

Но лишь скоморошьи дудочки
свой начинали сказ,
он звонко кричал: «Я туточки!» —
и лихо пускался в пляс.

В потрепанном куцем пальтишке,
понурясь и вроде каясь,
преступником политическим
он, пойманный, шел на казнь.

Humor[1]

Czars, Emperors, Kings,
masters of all earth's lands,
commanded parades and things,
but humor could not command.

In their palaces eminent peers,
lay all day reclining, well groomed,
till a tramp—Aesop—appears
and then like beggars they seemed.

From houses which bigots footprinted
with their puny legs like spokes,
all banalities Hodja Nasreddin[2]
ejected like chessmen with jokes!

They tried to buy off humor,
but humor you cannot buy.
They wanted to kill off humor,
to his nose humor's fingers fly!

It's a difficult task to fight him.
They execute him without fail.
His head, decapitated,
on a guardsman's pike they impale.

But no sooner the pipes of the clown
their story started relating—
"Here I am!" he cried out loud,
and plunged into a dance elated.

In his tattered skimpy overcoat,
apparently recanting and downcast,
as a political criminal, caught,
he was sent to execution at last.

[1] One of the four poems used by Shostakovich in his *Thirteenth Symphony*.
[2] Legendary folk hero from Bokhara—a kind of Tyl Eulenspiegel-Robin Hood, who made fools of the rich and helped the poor.

Всем видом покорность выказывал,
готов к неземному житью,
как вдруг из пальтишка выскальзывал,
рукою махал и — тю-тю!

Юмор прятали в камеры,
но черта с два удалось.
Решетки и стены каменные
он проходил насквозь.

Откашливаясь простуженно,
как рядовой боец,
шагал он частушкой-простушкой
с винтовкой на Зимний дворец.

Привык он ко взглядам сумрачным,
но это ему не вредит,
и сам на себя с юмором
юмор порой глядит.

Он вечен. Он, ловок и юрок,
пройдет через всё, через всех.
Итак — да славится юмор.
Он — мужественный человек.

His appearance full of abjectness,
seemingly prepared for eternal resting,
suddenly from his overcoat, self-ejecting,
he waved his hand and Hey Presto!

Humor was confined to cells,
but that did a fat lot of good!
For iron bars and stony walls
freely he passed right through.

A cold in his throat he stifles,
as a soldier in the ranks he rallies,
a limerick-simpleton with a rifle,[3]
he marches on the Winter Palace.

He's used to dour looks, you see,
but it doesn't hurt him at any rate,
and himself most humorously
humor often contemplates.

He is eternal, skillful, and nimble,
through everything and everyone rampaging.
And so—all honor to Humor.
He is a chap most courageous.

[3] In 1917 the revolutionary soldiers stormed the winter palace of the Czar chanting a limerick written by Mayakovsky:

"Gobble your pineapples! Swill your champagne!
Your last day has come Bourgeoisie! Never again!"

Бабий Яр

Над Бабьим Яром памятников нет.
Крутой обрыв, как грубое надгробье.
Мне страшно.
Мне сегодня столько лет,
как самому еврейскому народу.
Мне кажется сейчас —
я иудей.
Вот я бреду по древнему Египту.
А вот я, на кресте распятый, гибну,
и до сих пор на мне — следы гвоздей.
Мне кажется, что Дрейфус —
это я.
Мещанство —
мой доносчик и судья.
Я за решеткой.
Я попал в кольцо.
Затравленный,
оплеванный,
оболганный.
И дамочки с брюссельскими оборками,
визжа, зонтами тычут мне в лицо.
Мне кажется —
я мальчик в Белостоке.
Кровь льется, растекаясь по полам.
Бесчинствуют вожди трактирной стойки
и пахнут водкой с луком пополам.
Я, сапогом отброшенный, бессилен.
Напрасно я погромщиков молю.
Под гогот:
«Бей жидов, спасай Россию!»
Лабазник избивает мать мою.
О, русский мой народ!
Я знаю —
ты
по сущности интернационален.

Babi Yar[1]

There are no memorials over Babi Yar.
Only an abrupt bank like a crude epitaph rears.
I stand terror-stricken.
Today I'm as ancient in years
as the Jewish people themselves are.
It seems to me at this moment—
I am an Israelite.
Now I'm wandering over Ancient Egypt in captivity.
And now on the cross I perish, crucified,
and to this day the marks of the nails are on me.
I am Dreyfus now,
inside my mind.
My informer and judge
the Philistines.
I am behind bars.
I was trapped in the roundup.
Persecuted,
reviled,
hounded.
And ladies with flounces of Brussels' lace
shriekingly poke parasol points in my face.
It seems to me—
I'm a boy in Bialystok.
Blood flows over the floor, red-running.
Outrages are committed by bullies of vodka shops,
stinking of drink and raw onions.
I lie helpless, by jackboots kicked about.
I plead to the pogromites in vain.
"Beat the Yids! Save Russia!"
they shout:
My mother by shopkeeper is beaten and flayed.
Oh, my Russian people!
By nature
you are international
I know.

[1] One of the four poems chosen by Shostakovich for his *Thirteenth Symphony*.

Но часто те, чьи руки нечисты,
твоим чистейшим именем бряцали.
Я знаю доброту моей земли.
Как подло,
что, и жилочкой не дрогнув,
антисемиты пышно нарекли
себя «Союзом русского народа»!
Мне кажется —
я — это Анна Франк,
прозрачная,
как веточка в апреле.
И я люблю.
И мне не надо фраз.
Мне надо,
чтоб друг в друга мы смотрели.
Как мало можно видеть,
обонять!
Нельзя нам листьев
и нельзя нам неба.
Но можно очень много —
это нежно
друг друга в темной комнате обнять.
Сюда идут?
Не бойся — это гулы
самой весны —
она сюда идет.
Иди ко мне.
Дай мне скорее губы.
Ломают дверь?
Нет — это ледоход...
Над Бабьим Яром шелест диких трав.
Деревья смотрят грозно,
по-судейски.
Все молча здесь кричит,
и, шапку сняв,
я чувствую,
как медленно седею.

But often with unclean hands, such creatures
besmirch your own clean name.
The goodness of my native land I know.
How foul it is, that—
without turning a hair—
anti-semites a title self-pompously bestowed:
"We're 'The Union of the Russian People,'" they declared.
I am Anna Frank
it seems to me,
as frail as a twig
in April weather.
And I love.
And for empty phrases have no need.
I want
just that we should see each other.
Yet how little one can see
and smell!
We're forbidden the leaves,
forbidden the sky as well.
But we can still do so much—
tenderly
embrace each other in the darkness of the room.
They're coming?
Don't be afraid—that is the din
of oncoming Spring itself—
quickening.
Come to me.
Give me your lips quickly.
They're breaking down the door?
No, that's Spring—ice-breaking in. . . .[2]
Over Babi Yar only rustling wild grasses move.
The trees watch sternly,
like judges arrayed.
Here silence itself cries aloud—
my hat I remove,
and feel
I am gradually going gray.

[2] In Russia the ice breaking and melting is the signal of spring.

И сам я,
как сплошной и беззвучный крик,
над тысячами тысяч погребенных.
Я —
каждый здесь расстрелянный
старик.
Я —
каждый здесь расстрелянный
ребенок.
Ничто во мне
про это не забудет!
«Интернационал»
пусть прогремит,
когда навеки похоронен будет
последний на земле антисемит.
Еврейской крови нет в крови моей.
Но ненавистен злобой заскорузлой
я всем антисемитам,
как еврей.
И потому —
я настоящий русский!

Наследники Сталина

Энверу Ходжа

Безмолвствовал мрамор.
Безмолвно мерцало стекло.
Безмолвно стоял караул,
на ветру бронзовея.
А гроб чуть дымился.
Дыханье сквозь щели текло,
когда выносили его из дверей Мавзолея.
Гроб медленно плыл,
задевая краями штыки.

And I myself
am like an endless soundless cry,
over these thousands and thousands of buried ones.
Each one
of these murdered old men
am I.
I
am each of their murdered
sons.
Nothing will ever forget this
within me.
Let the "International"
thunder its might
when will be buried for eternity
the earth's last anti-Semite.
No Jewish blood my veins runs through,
but I am hated with an encrusted passion,
by all anti-Semites, as if I
were a Jew,
and because of that
I'm a genuine Russian!

The Heirs of Stalin

To Enver Hoxha

Silent the marble.
Silent the glass scintillates.
Silent stand the sentries
in the breeze like bronzes poured.
And the coffin smolders slightly.
Through its chinks breath percolates,
as they carry him through the mausoleum doors.
Slowly floats the coffin,
grazing bayonets with its edges.

Он тоже безмолвным был —
тоже! —
но грозно безмолвным.
Угрюмо сжимая
набальзамированные кулаки,
в нем к щели приник
человек, притворившийся мертвым.
Хотел он запомнить всех тех,
кто его выносил:
рязанских и курских молоденьких
новобранцев,
чтоб как-нибудь после
набраться для вылазки сил,
и встать из земли,
и до них, неразумных, добраться.
Он что-то задумал.
Он лишь отдохнуть прикорнул.
И я обращаюсь к правительству нашему
с просьбою:
удвоить,
утроить
у этой плиты караул,
чтоб Сталин не встал,
и со Сталиным —
прошлое.
Я речь не о том сокровенном и доблестном
прошлом веду,
где были Турксиб,
и Магнитка,
и флаг над Берлином.
Я в случае данном
под прошлым имею в виду
забвенье о благе народа,
наветы,
аресты безвинных.
Мы сеяли честно.
Мы честно варили металл

He was silent too—
menacingly silent
indeed.
Then grimly
his embalmed fist clenches,
through the chinks peers a man
pretending to be dead.
He wanted to remember
by whom he was carried out:
those juvenile recruits
from Kursk and Ryazan,
so that, somehow later,
gathering strength to sally out,
he'd rise up from the earth
and get that brainless band.
He had conceived a plan.
But to rest was having a nap.
And I turn to our Government
with a request:
to double,
treble
the guards over that gravestone slab,
so that Stalin should not rise,
and with Stalin—
the past.
I don't mean that past,
noble and treasured,
of TurkSib,[1]
and Magnitogorsk,[2]
and the flag over Berlin invested.
Now I have in mind
the past that is measured
by the people's good neglected,
the innocent
slandered and arrested.
In honesty we sowed,
in honesty metal smelted

[1] Turkish-Siberian Railway, one of the first projects of Soviet construction, built across a desert.
[2] One of the first great iron and steel foundries of the Five-Year Plan.

и честно шагали мы,
строясь в солдатские цепи.
А он нас боялся.
Он, веря в великую цель, не считал,
что средства
должны быть достойны
величия цели.
Он был дальновиден.
В законах борьбы умудрен,
наследников многих на шаре земном он оставил.
Мне чудится,
будто поставлен к гробу телефон:
Энверу Ходжа
сообщает свои указания Сталин.
Куда еще тянется провод из гроба того!
Нет, — Сталин не сдался.
Считает он смерть —
поправимостью.
Мы вынесли
из Мавзолея
его.
Но как из наследников Сталина
Сталина вынести?!
Иные наследники розы в оставке стригут,
а втайне считают,
что временна эта отставка.
Иные
и Сталина даже ругают с трибун,
а сами ночами
тоскуют о времени старом.
Наследников Сталина, видно, сегодня не зря
хватают инфаркты.
Им, бывшим когда-то опорами,
не нравится время,
в котором пусты лагеря,

and honestly marched
in soldierly formation.
But he feared us.
Believing the mighty end, he never admitted
that the means
should be worthy
of that mighty consummation.
He was farsighted.
In the laws of struggle well-instructed,
and many heirs he left in this world's precincts.
It seems to me
to that coffin a telephone's connected:
To Enver Hoxha[3]
Stalin transmits his latest edicts.
To where else is that direct line linked up?!
No—Stalin didn't surrender.
Death's to him
a rectifiable mistake.
Out of the mausoleum
we resolutely
took him.
But Stalin out of Stalin's heirs
how do we take?!
In their retirement some heirs prune roses,[4]
but in secret
think retirement's a temporary phase.
From platforms
at Stalin others even hurl curses,
but at nighttime
pine for the good old days.
The heirs of Stalin, not for nothing, apparently
have heart attacks now.
Being onetime pillars of society,
they don't like the times
when prison camps are empty

[3] The leader of Communist Albania.
[4] Alluding to Molotov.

а залы, где слушают люди стихи, —
переполнены.
Велела
не быть успокоенным
народа мне.
Пусть кто-то твердит:
«Успокойся!» — спокойным я быть
не сумею.
Покуда наследники Сталина есть на земле,
мне будет казаться,
что Сталин еще в Мавзолее.

❧❧

Судьба имен

Судьба имен — сама судьба времен.
У славы есть приливы и отливы.
Не обмануть историю враньем.
Она, как мать, строга и справедлива.

Все люди ей, всевидящей, ясны,
в какой они себя ни прячут панцырь.
Напрасно кто-то на ее весы
пытается нажать украдкой пальцем.

Как ни хотят пролезть в нее извне,
как на приманку лжи ее ни ловят,
в конце концов на мыслящей земле
все на свои места она становит.

В конце концов она клеймит лжецов,
в конце концов сметает дамбы догмы, —
пусть этого ее «в конце концов»
порою ждать приходится так долго!

and halls are overfull of people
listening to poetry.
My People
have commanded me—
no complacency.
I can't be calm—
though some repeat "Calm down!"
ad nauseam.
As long as Stalin's heirs on this earth exist,
it will seem to me
that Stalin is still in the mausoleum.

The Fate of Names

The fate of names is the fate of the times.
For fame ebbs and flows, recoils and thrusts.
History can't be fooled by lies.
She is like a mother, stern and just.

To her, the all-seeing, all men are clear,
however much they mask in coats of mail.
Vainly someone tries to interfere
and furtively to finger-tip her scales.

However much they try to worm into her,
or try to catch her with live-lie baits,
in the end upon this thinking earth
she puts all things in their place.

In the end all liars she condemns,
in the end all dogma's dams burst out—
although at times one waits that "in the end"
so long before it comes about!

Ее всевышний суд суров и прям.
Она плюет на пошлый гомон чей-то
и возвращает честь тем именам,
которые заслуживают чести.

И, перед человечеством честна,
достаточно разборчива и грамотна,
стирает властно с мрамора она
те имена, что недостойны мрамора!

У трусов малые возможности,
молчаньем славы не добыть,
и смелыми из осторожности
подчас приходится им быть.
И лезут в соколы ужи,
сменив с учетом современности
приспособленчество ко лжи
приспособленчеством ко смелости.

1957

But whosoever's banal hubbub she ignores,
straight and stern her last judgment's served,
and honor to those names she then restores,
who have that honor rightfully deserved.

And she, honest before humanity's face,
fully literate and discriminate,
names from marble will finally efface
unworthy in marble to be memoried.

Cowards haven't much room to maneuver . . .

Cowards haven't much room to maneuver,
by keeping quiet glory can't be won,
and so, out of cautiousness, they have to move
and force themselves to put boldness on.
Grass snakes striving to hawklike heights,[1]
they swap, with an eye on contemporaneity,
opportunistic time-serving lies
for opportunistic time-serving audacity.

1957

[1] An allusion to Maxim Gorky's *Song of the Hawk,* written in 1895—a dialogue between the daring hawk and the cowardly Philistine grass snake.

Большой талант всегда тревожит
и, жаром головы кружа,
не на мятеж похож, быть может,
а на начало мятежа.

Ты в мир, застенчив по-медвежьи,
вошел, ему не нагрубив,
но объективно был мятежен,
как непохожий на других.

А вскоре стал бессильной жертвой,
но всем казалось, что бойцом,
и после первой брани желчной
пропал с загадочным лицом.

Ты спрятался в свою свободу,
и никому ты не мешал,
как будто бы ушел под воду
и сквозь тростиночку дышал.

С почетом, пышным и высоким,
ты поднят был, немолодой,
и приняла земля с восторгом
накопленное под водой.

Но те, кто верили по-детски
тебе в твои дурные дни
и ждали от тебя поддержки, —
как горько сетуют они!

Живешь расхваленно и ладно.
Живешь, убого мельтеша,
примером, что конец таланта
есть невозможность мятежа.

Great talent always arouses alarm . . .

Great talent always arouses alarm,
and heads with its ardor sets spinning,
not quite like rebellion, maybe,
but like a rebellion's beginning.

You entered the world, so bearlike and shy,
never uttered one single rude word,
but objectively you seemed so rebellious,
how unlike all the others you were.

But a helpless victim you soon became,
though a fighter, everyone felt,
yet after the first bitter campaign
with an inscrutable face you fell.

You secreted yourself in your freedom,
and never interfered with anyone,
as if you had gone under water
and breathed through an aqualung.

With honors and titles high-sounding,
no longer young, you were elevated,
and accepted the earth with rapture
which under water accumulated.

But those who believed you like children
in the time of your evil days,
and for your backing awaited—
how bitterly now they complain!

You live highly praised and opulent.
You live, flashingly ephemeral,
an example, that the end of talent
comes when rebellion's impossible.

Он вернулся из долгого
отлученья от нас
и, затолканный толками,
пьет со мною сейчас.
Он отец мне по возрасту.
По призванию брат.
Невеселые волосы.
Пиджачок мешковат.
Вижу руки подробные,
все по ним узнаю,
и глаза исподбровные
смотрят в душу мою.
Нет покуда и комнаты,
и еда не жирна.
За жокея какого-то
замуж вышла жена.
Я об этом не спрашиваю.
Сам о женщине той
поминает со страшною,
неживой простотой.
Жадно слушает радио,
за печатью следит.
Все в нем дышит характером,
интересом гудит...
Пусть обида и лютая,
пусть ему не везло,
верит он в Революцию
убежденно и зло.
Я сижу растревоженный,
говорить не могу...
В черной курточке кожаной
он уходит в пургу.
И, не сбитый обидою,
я живу и борюсь.
Никому не завидую,
ничего не боюсь.

1956

He has returned to us . . .[1]

He has returned to us
from a prolonged separation
and, by rumors pushed about,
is drinking with me in celebration.
In age he could be my father.
By calling he's a brother.
His hair is melancholic.
His jacket like sack clothing.
I observe his hands in detail,
from them everything's laid bare,
and his eyes from beneath their brows
into my soul piercingly stare.
His food's not very filling
and he hasn't a room of his own.
Some jockey or another
his wife married long ago.
I ask no questions about it.
But he himself speaks of her
with a terrible simplicity,
lifeless and inert.
He listens eagerly to the radio,
follows all the press.
Everything in him breathes character,
and hums with interest . . .
Though he's been badly treated,
though his hurt is fierce and grievous,
with anger and conviction
in the Revolution he still believes.
I can't say a single word,
just sit there full of alarm. . . .
In a leather jerkin clad
he goes into the storm.
And, not beaten down by wrong,
I live and fight my battle.
Envious of no man,
and fearing nothing at all. 1956

[1] The author writes of a friend who spent many years in a Stalinist concentration camp.

Какое наступает отрезвленье,
как наша совесть к нам потом строга,
когда в застольном чьем-то откровенье
не замечаем вкрадчивость врага.

Но страшно ничему не научиться,
и в бдительности ревностной опять
незрелости мятущейся, но чистой
нечистые стремленья приписать.

Усердье в подозреньях — не заслуга.
Слепой судья — народу не слуга.
Страшнée, чем принять врага за друга,
принять поспешно друга за врага.

1956

Разговор с американским писателем

Мне говорят —
«Ты смелый человек».
Неправда.
Никогда я не был смелым.
Считал я просто недостойным делом
унизиться до трусости коллег.

Устоев никаких не потрясал.
Смеялся просто над фальшивым,
дутым.

Eventually what soberness will overtake . . .

Eventually what soberness will overtake,
afterwards how strict our conscience comes berating,
when in someone's "off-the-record" table talk,
we are not aware a foe's insinuating.

More terrible yet is not to learn a thing,
and in one's jealous vigilance, impurity
of strivings once again attributing
to rebellious, but pure, immaturity.

Diligence in suspicion serves no good end.
A blind judge is the people's servant? No!
More terrible than to take a foe for a friend
is too hastily to take a friend for a foe.

1956

Conversation with an American Writer

"You're a fearless young man—"
                                        they tell me . . .
It's not true.
                  I've never been fearless.
I've considered it unworthy, simply,
to sink to my colleagues' cowardice.

I didn't shake any sort of foundations.
Laughed at the false and pompous,
                                        that's all.

Писал — и все.
Доносов не писал.
И говорить старался
все, что думал.

Да,
защищал талантливых людей,
клеймил бездарных,
лезущих в писатели,
но делать это, в общем, обязательно,
а мне твердят о смелости моей.

О, вспомнят с чувством горького стыда
потомки наши,
расправляясь с мерзостью,
то время,
очень странное,
когда
простую честность
называли смелостью.

Нью-Йорк, 1960

Wrote—that's all.
Never wrote denunciations.
And tried to say
just what I thought.

Yes,
talented people I defended,
branded the incapable,
into literature crawling,
but did this because, in general, one has to,
and now about my fearlessness they're talking.

Oh, with feelings of bitter shame
our descendants,
debunking worthlessness,
will remember
those times
so strange
when simple honesty
was called fearlessness.

New York, 1960

Bratsky GES

Bratsky GES

(Bratsk State Hydro-Electric Power Station)

This is the newest and greatest of Yevtushenko's poems. Epic in its size and scope and length, it contains twenty chapters of varying lengths, of which five have been especially translated for this volume, for the first time in any language.

The complete poem contains the following chapters:

1 Prayer Before the Prologue
2 The Prologue
3 Monologue of the Egyptian Pyramids
4 Monologue of the Bratsky GES
5 The Execution of Stenka Ryazin
6 The Decembrists
7 Simbirsk Fair
8 Before Storming the Winter Palace
9 The ABC of Revolution
10 Ghosts in the Taiga
11 The Bolshevik
12 I—Concrete-Mixer Burtova Nushka
13 The Shadows of Our Beloved Ones
14 The Night of Poetry
15 Fissures
16 The Power Controller
17 The Pumping Station
18 Mayakovsky's Revolver
19 Don't Die, Ivan Stepanich!
20 Epilogue

Молитва перед поэмой

Поэт в России — больше, чем поэт.
В ней суждено поэтами рождаться
лишь тем, в ком бродит вещий дух гражданства,
кому уюта нет, покоя нет.

Поэт в ней — образ века своего
и будущего призрачный прообраз.
Поэт подводит, не впадая в робость,
итог всего, что было до него.

Сумею ли? Культуры не хватает...
Нахватанность пророчества не сулит...
Но дух России надо мной витает
и дерзновенно пробовать велит.

И, на колени тихо становясь,
готовый и для смерти и победы,
прошу смиренно помощи у вас,
великие российские поэты...

Дай, Пушкин, мне свою певучесть,
свою раскованную речь,
свою пленительную участь —
как бы шаля, глаголом жечь.

Prayer Before the Prologue

A poet is more than a poet in Russia.
Here only he is destined to be a poet
in whom civil sense ferments to passion,
in whom there is no coziness, no quiet.

Here a poet is the image of his age,
in whom the future's prefiguring is seen.
A poet sums up, boldly, his heritage,
everything that prior to him has been.

Can I? My culture's deficient, moreover. . . .
A little knowledge promises no prophecies. . . .
But the spirit of Russia over me hovers
and calls me to essay audacity.

And quietly sinking onto my knees,
ready for death, and for victory,
for help from you I humbly plead,
Russia's geniuses of poetry. . . .

Oh, Pushkin,[1] give me your harmony,
your speech unfettered, give I pray,
your captivating destiny—
to burn with words,[2] as if in play.

[1] Alexander Sergeyevitch Pushkin (1799–1837). Russia's greatest classic poet, descended from Russian nobility and Ethiopian bodyguard of Peter the Great. He was twice exiled for writing revolutionary verse. He was killed in a provoked duel.

[2] A quotation from the last quatrain of Pushkin's famous poem, "The Prophet." I give a rough translation:

"Arise, Oh Prophet, hear and see,
Fulfill on earth this will of mine,
and going forth o'er land and sea,
burn with words the hearts of men."

Дай, Лермонтов, свой желчный взгляд,
своей презрительности яд,
и келью замкнутой души,
где дышит, скрытая в тиши,
недоброты твоей сестра —
лампада тайного добра.

Дай, Некрасов, уняв мою резвость,
боль иссеченной музы твоей —
у парадных подъездов, у рельсов
и в просторах лесов и полей.

Give me, Lermontov,[3] your outlook's bitterness,
the poison of your scornfulness,
and the locked-up cell of your soul,
where, in the quietness concealed,
breathes the sister of your unkindness—
the ikon flame of secret goodness.

Give me, Nekrasov,[4]—my exuberance slaking—
your stripe-slashed Muse's pain
on main-door steps, by railroads quaking[5]
and in the spaciousness of woods and plains.

[3] Mihail Yuryevitch Lermontov (1814–41). Descended from George Learmont, a Scottish mercenary, who was captured by the Russians, settled in Muscovy and married a Russian. Wrote an angry elegy on the death of Pushkin, and was consequently "banished" to the Caucasus. He too was killed in a duel.

[4] Nikolai Nekrasov (1821–77). Son of a country squire, leading Russian poet of the second half of the nineteenth century. A radical poet, whose best poems describe the misery of the peasants with compassion and anger. His muse, he said, was "The muse of revenge and grief."

[5] Nekrasov's poem "Meditations on the Main Entrance Steps," is concerned with various petitioners who come to the main entrance of the Governor's Mansion, most of whom are permitted entry to await audience, except the poor peasants. Poorly dressed, illiterate, with petitions about their numerous grievances, they are turned away with a brusque: "Drive them away! We don't like such a ragged rabble!"

And Nekrasov meditates on the contrast between the Governor, still sleeping, dreaming of sunny Sicily, where he will spend the winter, and the oppressed peasants of all Russia in their poverty and suffering. He asks:

> Where does the Russian peasant not groan?
> He groans in the fields, on the roads,
> he groans in the prisons and the jails,
> in the mines, in iron chains;
> He groans in the barns, under the haystacks,
> under his wagon, spending the night in the steppes,
> he groans in his own poor hut,
> pained by the light of God's day;
> he groans in every faraway village,
> on main-door steps to Law Courts and Mansions.

Дай твоей неизящности силу.
Дай мне колокол твой вечевой,
чтоб идти, волоча всю Россию,
как бурлаки идут бечевой.

О, дай мне, Блок, туманность вещую
и два кренящихся крыла,
чтобы, тая загадку вечную,
сквозь тело музыка текла.

Give your down-to-earthness' power unquelled,
give me your Common Council bell[6]
so, through all Russia, I'll go hauling,
like a Volga boatman towing the hawser.

Oh, give me, Blok,[7] prophetic mistiness
and two wings give to me, wind-listing,
so that, an eternal enigma secreting,
through my flesh flows music fleeting.

On the Volga; whose groan rings out
over that mighty Russian river?
That groan we call a song—
of the Volga boatman towing the hawser. . . .
Where the people are—there are groans . . .
They created a song from their groans,
making it their testament for the ages. 1858.

A line from this poem is used by Yevtushenko in his Prologue.

The other poem, "The Railway," is "Dedicated to Children" and concerns the building of the Moscow-Petersburg Railway, at the cost of thousands of peasants' lives.

He prefaces the poem with "A Conversation Overheard in a Railway Carriage":

Vanya (*in a coachman's overcoat*): Papasha! Who built this railway?
Papasha (*in an overcoat with a red lining*): Count Peter Andreyevitch Kleinmichel, my pet!"

Nekrasov goes on to show who really built the railway, and whose bones form the sleepers over which they travel, and he ends up with:

No need to quail for your land, noble scion . . .
This Russian folk have borne all to the end,
borne even this heavy railroad of iron,
bear what'ere God in his mercy shall send!
They will bear everything—shining and straight
the breast of the road they will build for themselves.
Great is the pity, their beautiful fate
we shan't live to share, neither you nor myself.

[6] The bell used to call the meeting of the Common Council in old Russia.
[7] Alexander Blok (1880–1921). Greatest of Russian Symbolist poets, who foreshadowed the Revolution, worked for it when it came, and wrote one of its greatest poems, "The Twelve."

Дай, Пастернак, смещенье дней,
смущенье веток,
сращенье запахов, теней
с мученьем века,
чтоб слово, садом бормоча,
цвело и зрело,
чтобы вовек твоя свеча
во мне горела...

Есенин, дай на счастье нежность мне
к березкам и лугам, к зверью и людям
и ко всему другому на земле,
что мы с тобой беззащитно любим...

Дай, Маяковский, мне
                                        глыбастость,
                                                        буйство,
                                                                    вас,
непримиримость грозную к подонкам,
чтоб смог и я,
                            сквозь время прорубясь,
сказать о нем
                            товарищам-потомкам...

Give me, Pasternak, the blending of days,
bushes confusion,
aromas and shadows fusion
with the torture of the age,
so that garden-murmered words
blossomed to maturity,
so that your bright candle burns
evermore within me. . . .

Yesenin,[8] give me your tenderness for luck,
to humans and animals, birch trees and flowers,
to everything else on this earth of ours
that together we so helplessly love. . . .

Give me, Mayakovsky,[9]
monolithicness,
turbulence,
bass,
ruthless implacability to riffraff base,
so I too,
thrusting through years unending,
can tell of them
to my comrade heirs and descendants . . .

[8] Sergey Yesenin (1895–1925). The son of a peasant, who first hailed the Revolution, but gradually grew disillusioned with its industrialization of the countryside and lamented that the Revolution had not fulfilled the hopes of the peasants. He committed suicide in Leningrad.

[9] Vladimir Mayakovsky (1893–1930). Son of a forester, the leading Futurist poet, who, already at fourteen, was a member of the underground Bolshevik Party and became the greatest poet of the Revolution. Yet in the end, he, too, committed suicide. His last poem, "At the Top of My Voice," commences: "Most respected comrade heirs and descendants . . ."

Пролог

Мне тридцать лет. Мне страшно по ночам.
Я простыню коленями горбачу,
лицо топлю в подушке, стыдно плачу,
что жизнь растратил я по мелочам,
а утром снова так же ее трачу.

Когда б вы знали, критики мои,
чья доброта безвинно под вопросом,
как ласковы разносные статьи
в сравненьи с моим собственным разносом,
вам стало б легче, если в поздний час
несправедливо мучит совесть вас.

Перебирая все мои стихи,
я вижу — безрассудно разбарясь,
понамарал я столько чепухи,
а не сожжешь: по свету разбежалась.

Соперники мои, отбросим лесть
и ругани обманчивую честь.
Размыслим-ка над судьбами своими.
У нас у всех одна и та же есть
болезнь души.
                    Поверхность ей имя.
Поверхность, ты хуже слепоты.

Ты можешь видеть, но не хочешь видеть.
Быть может, от безграмотности ты?
А может, от боязни корни выдрать
деревьев, под которыми росла,
не посадив на смену ни кола?!

И мы не потому ли так спешим,
снимая внешний слой лишь на полметра,
что, мужество забыв, себя страшим
самой задачей — вникнуть в суть предмета?

The Prologue

I'm thirty years old. Yet nights are frightful.
My knees hunchback the sheets and ruffle.
Ashamed I cry—pillow-pressing my face—
that I wasted my life over trifles,
yet morning comes—once more I waste.

Oh, critics of mine, if you had only realized
whose goodness was guiltless under cross-examination,
that those denunciating articles were really kind
compared to my own self-denunciation.
How relieved you'd've been, if, belatedly,
your conscience torments you unjustly.

Examining all my poems, imprudently—
I see now—I spread and scattered
so much scribbled tomfoolery,
and not having burnt them—the world they littered.

Rivals of mine, let's chuck the adulation
and the deceptive honor of vituperation.
Let us ruminate on the fate of our kind.
We all of us suffer from one and the same
spiritual disease.
Superficiality its name.
Superficiality, you're worse than being blind.

None so blind as those that will not see.
Maybe it's from your own illiteracy?
Or, maybe, from fear of ripping out the roots
of trees, under which you grew,
in their place not planting even a stick?!

Isn't this the reason for our restless hurryings,
stripping off the outer husk of but half a meter,
that, valor forgetting, ourselves we frighten
with the task itself—to delve into the essence of things?

Спешим... Давая лишь полуответ,
поверхность несем, как сокровенья,
не из расчета хладного — нет, нет! —
а из инстинкта самосохраненья.
Затем приходит угасанье сил
и неспособность на полет, на битвы,
и перьями домашних наших крыл
подушки подлецов уже набиты....

Метался я... Швыряло взад-вперед
меня от чьих-то всхлипов или стонов
то в надувную бесполезность од,
то в ложную полезность фельетонов.
Кого-то оттирал всю жизнь плечом,
а это был я сам. Я в страсти пылкой,
наивно топоча, сражался шпилькой,
где следовало действовать мечом.
Преступно инфантилен был мой пыл.
Безжалостности полной не хватало,
а значит, полной жалости...

я был,

как среднее из воска и металла,
и этим свою молодость губил.
Пусть каждый входит в жизнь под сим обетом:
помочь тому, что долженствуют цвесть,
и отомстить, забыв Христа лишь в этом,
всему тому, что заслужило месть!
Боязнью мести мы не отомстим.
Сама возможность мести убывает,
и самосохранения инстинкт
не сохраняет нас, а убывает.
Поверхностность — убийца, а не друг,
здоровьем притворившийся недуг,
опутавший сетями обольщений...
На частности разменивая дух,
мы в сторону бежим от обобщений.

Giving but half an answer, in our hurry
superficiality, like a secret, we carry—
no!—not out of cold calculation,
but from the instinct of self-preservation.
Then afterwards comes our power's weakening,
and unable to fly, to fight—or unwilling—
the feathers of our domestic wings
already stuff the pillows of villains . . . .

I flung myself about . . . was thrown to and fro
by someone's sobs and groans and thrust
into the puffed-up uselessness of odes
or the phony usefulness of essays in the press.
I rubbed shoulders all my life with someone,
and that was I myself! In vehement passion I fought,
naïvely shuffling with but a blunt pin,
when I should have slashed out with a sword.
Criminally infantile was my passion.
Utter ruthlessness I lacked,
and, in consequence, complete compassion . . .
I was
        as the mean 'twixt metal and wax,
and this way my own youth laid waste.
Let each one enter life with this sacred pledge:
That which should blossom to aid and conserve,
and, forgetting Christ only in this, take revenge
on everything which revenge deserves.
Fearing revenge—vengeance we cannot take.
The very possibility of vengeance wilts,
and the instinct of self-preservation awakes
but it does not preserve us, it kills.
Superficiality is a murderer, not a friend,
a malady to be health pretends,
enmeshing us in a ground net of delusions . . .
Wasting our spirit on particular ends
we try to dodge all generalizations.

А между тем — безверием больной,
карежащийся, стонущий под нами,
ракетами утыкан шар земной,
как будто бы пытаемый-гвоздями.
В нем крик незащищенности звучит
во всех разнообразных формах гнета,
в натужных изощренных защит
от самого себя — не от кого-то.
Теряет силы шар земной в пустом,
оставив обобщенья на потом.
А, может быть, его незащищенность
и есть людских судеб необобщенность
в прозреньи чьем-то, четком и простом?
Но каждый гений — узел обобщений
а сколько знала гениев земля!
Неужто пламень вещих обобщений
в конце концов — лишь мертвая зола?!

...Я ехал по России вместе с Галей,
куда-то к морю в «Москвиче» спеша
от всех печалей...
Осень русских далей
пообок золотела все усталей,
листами под покрышками шурша,
и отдыхала за рулем душа.
Дыша степным, березовым, соснистым,
в меня швырнув немыслимый массив,
на скорости за семьдесят, со свистом
Россия обтекала наш «Москвич»,
Россия что-то мне сказать хотела,
но, видимо, сказать боясь не то,
она «Москвич» вжимала в свое тело
и втягивала в самое нутро.

But meanwhile—sick with unbelief,
writhing in pain, groans beneath
us this earthly ball, with rockets impaled,
as if they were the torture nails.
In it the cry of defenselessness rends
in all the varied forms of oppression itself,
in an overstrained crafty defense
from one's very own self—not someone else.
Earth's sphere in the void loses its power,
leaving generalizations to the afterward's hour.
But maybe its very defenselessness
is that nongeneralization of human destinies
in someone's simple and precise prevision?
For every genius is a knot of generalizations,
and how many geniuses did this world behold!
Surely generalization's prophetic conflagration
isn't in the end—merely ashes cold?!

. . . I rode over Russia with Galya[1] beside me,
speeding in our Moskvitch down to the sea
away from all sorrows . . .
The autumnal vastness of Russia
alongside goldened into lingering lassitude,
as leaves under tire treads caressingly rustle,
and one's soul at the wheel rests in quietude.
Breathing birch trees, conifers and steppe grass,
into me hurled an incredible mass,
speeding over fifty, with a whistling whine,
Russia our Moskvitch fleetingly streamlines.
Russia wanted to tell me something,
yet, seemingly, fearing to say the wrong thing,
Moskvitch she hugged to her body more closely,
to her very heart drawing us in.

[1] His wife, who is a leading translator of English writers into Russian, such as Somerset Maugham, etc.

И, видимо, с какою-то задумкой,
скрывающей до срока свою суть,
мне подсказала сразу же за Тулой
на Ясную Поляну повернуть.

И вот в усадьбу, дышащую ветхо,
вошли мы, дети атомного века...
спешащие, в нейлоновых плащах,
и замерли, внезапно оплошав.
И, ходоков за правдою потомки,
мы ощутили вдруг в минуту ту
все те же, те же на плечах котомки,
все ту же ног разбитых босоту.
Немому повинуясь повеленью,
закатом сквозь листву просквожены,
вступили мы в тенистую аллею
по имени «Аллея Тишины».
И эта золотая просквоженность,
не удаляясь от людских недоль,
снимала суету, как прокаженность,
и, не снимая, возвышала боль.
Боль, возвышаясь, делалась прекрасной,
в себе соединив покой и страсть,
и дух казался силою всевластной,
но возникал опять вопрос бесстрастный —
а так ли уж всевластна эта власть?
Добились ли каких-то изменений
все то, кому от нас такой почет,
чей дух обширный ваших измерений?
Добились?
Или все, как встарь, течет?

And, with some kind of intention, seemingly,
its meaning inadvertent revelation averting,
soon after Tula[2] she prompted me
and to Yasnaya Polyana[3] sent me diverting.

And so into that farmhouse, breathing decays,
entered us children of the atomic age. . . .
Hurrying, in nylon raincoats and sneakers,
then stood still, in timidity taken aback,
for, descendants of pilgrim truth-seekers,
in that minute we suddenly felt
that same, that very same shoulder knapsack,
those very same—broken bare feet.[4]
To that silent command submitting,
as sunset through the leaves came flitting,
we entered the shaded alley's aisles,
on us the "Alley of Silence" smiles.
And that golden shimmering ecstasy,
not estranging itself from man's misfortune,
removed vanity, like a leprosy,
but, far from removing, increased pain's torture.
That pain, still increasing, beautiful became,
uniting in itself both passion and calm,
and the spirit seemed a power all-powerful,
but that question impassibly rose once again—
is that power so all-powerful after all?
Was any kind of change really achieved
by all those who such honor from us receive,
whose spirit is vaster than our measuring?
Was it?
            Or still, as of old, flows everything?

[2] A Russian provincial town, once famous for its samovars.
[3] The country estate of the great Russian writer, Count Leo Tolstoy, now kept as a national museum.
[4] Thus Tolstoy dressed in the last years of his life at Yasnaya Polyana.

А между тем — усадьбы той хозяин,
невидимый, держал нас на виду
и чудился вокруг: то проскользая
седобородым облаком в пруду,
то слышался своей походкой крупной
в туманности дымящихся лощин,
то часть лица являл в коре огрублой,
изрезанной ущельями морщин.
Листвой, ветвями, дуплами, сучками
глядел, ушедший в мглистые стволы.
Кругились его мудрыми зрачками
натеки цеденающей смолы.
Космато его брови прорастали
в дремучести бурьянной на лугу,
и корни на тропинках проступали,
как жили на его могучем лбу.
И, не ветшая, — царственно древнея,
верша вершинным шумом колдовство,
вокруг вздымались мощные деревья,
как мысли необхватные его.
Деревья тяжко, сдержевно качались
с какой-то скрытой силой грозовой.
Они не начинались, не кончались
ни здесь, в земле, ни где-то над землей.
Они стремились в облака и недра,
чтобы связать и то, и то верней,
и корни их вершин росли из неба,
вглубь уходя вершинами корней...

Да, — ввысь и вглубь, — и лишь одновременно!
Да, гениальность — выси с глубью связь!
Но сколькие живут все так же бренно,
в тени великих мыслей суетясь...
Так что ж, напрасно гениям горелось
во имя изменения людей?
И, может быть, идей неустарелость —
свидетельство бессилия идей?

But meanwhile—that ancient farmhouse's owner
held us in his sight, unseen.
All around surprising us, creeping lonely,
a gray-bearded cloud in the lake's limpid scene.
Then the sound was heard of his striding walk
in the mistiness of smoking valleys.
Then traits of his face seen in rough tree bark,
engraven deep with his wrinkles' gullies.
Through tree hollows, knots, leaves and boughs.
he's peering, then with misty tree trunks fusing.
The pupils of his wise eyes round
in the flow of filtering resin oozing.
His bushy brows were sproutingly limned
in the denseness of the high-grassed forest,
and protruding roots on the footpaths seemed
like dark veins in his mighty forehead.
And, imperially ancient, undecaying,
crowning all peaks with sorcery's sound,
around soared mighty trees upswaying
like his unfathomable thoughts profound.
The heavy trees soberly sway and bend
and a kind of hidden storm-power ply.
They did not begin, they did not end,
neither here in the earth, nor up in the sky.
Into skies' and earth's deeps they strive,
to link both more securely with their shoots
and the roots of their heights grow from the skies,
going deep with the heights of their roots. . . .

Yes—above and below—but simultaneously!
Yes, genius—heights with depths thus linked!
But how many live like that so insecurely,
in the shadow of mighty thoughts so restlessly. . . .
Was it vain then genius flamed to incandescence,
in the name of changing the nature of humanity?
And, maybe, ideas nonobsolescence
bears witness to ideas debility?

Который год уже прошел, который,
а наша чистота, как во хмелю,
бросается Наташею Ростовой
к лжеопыту — повесе и вралю!
И вновь и вновь — Толстому в укоренье —
мы забываем, прячась от страстей,
что Вронский — он черствее, чем Каренин,
в мягкосердечной трусости своей.
А сам Толстой?
Собой же поколеблен,
он своему бессилью не пример, —
беспомощно метавшийся, как Левин,
в благонаивном тщаньи перемен?...

Среди меня стинающих сомнений
мне страшно верить, что всего исход:
«...предвестьем льгот приходит гений
и гнетом мстит за свой уход».*
Труд гениев порою их самих
пугает результатом подсомненным,
но обобщенья каждого из них,
как в битве, — сантиметр за сантиметром.

Три величайших имени России
пусть нас от опасений оградят.
Они Россию заново родили
и заново не раз ее родят.

Когда и безъязыко и незряче
она брела сквозь плети, батожье,
явился Пушкин просто и прозрачно,
как самосознание ее.

* Б. Пастернак, «Высокая болезнь».

What year has already passed hence,
when Natasha Rostova,[5] as if drunk,
threw our purity to false experience,
to a liar and a madcap's pranks?
But again and again, at Tolstoy complaining,
we forget, from passion hiding in prejudice,
that Vronsky[5] is harsher than Karenin[5]—
in his own softhearted cowardice.
What of Tolstoy himself?
Full of doubt,
he sets no example with his own debilitation—
like Levin[5] helplessly tossing about
in his naïve painstaking vacillation. . . .

In the midst of doubts that rend me
it's fearful to believe, that as a final result:
". . . with a presage of privilege genius enters
and with oppression takes revenge for his exit."[6]
The labor of geniuses at times
frightens themselves by dubious outcomes,
but the generalization of each,
as in battle—grows inch by inch.

Let the three greatest of Russia's sons
guard and protect us from fear.
They gave new birth to Russia once
and more than once again will bear.

When she stumbled tongueless and unseeing,
moaning under whiplash blows—
Pushkin appeared, a simple, transparent being,
and as her own self-consciousness grows.

[5] Characters from Leo Tolstoy's great novel *Anna Karenina*.
[6] Pasternak's *High Sickness*, p. 326, 1933 Russian edition, Leningrad.

Когда она, бесправье осязая,
искала своих горестей исток, —
как осмысленье зревшего сознанья,
пришел Толстой, жалеюще жесток,
но — руки заложив за ремешок.

Ну, а когда ей был неясен выход,
а гнев необратимо вызревал, —
из вихря Ленин вырвался, как вывод,
и, чтоб ее спасти, ее взорвал!

Так думал я запутанно, пространно,
давно оставив Ясную Поляну
и сквозь Россию мчась на «Москвиче»
с любимой, тихо спящей на плече.

Сгущалась ночь, лишь слабо розовеясь
по краешку...
Летели в лоб огни.
Гармошки заливались.
Рыжий месяц
заваливался пьяно за плетни.
Свернув куда-то в сторону с шоссе,
затормозил я, разложил сиденья,
и мы поплыли с Галей в сновиденья
сквозь наважденья звезд — щека к щеке...

Мне снился мир — без немощных и жирных,
без долларов, рублей и песет,
где нет границ, где нет правительств лживых,
ракет, и дурно пахнущих газет.
Мне снился мир, где все так первозданно
топорщится черемухой в росе,
набитой соловьями и дроздами.
Где нет бездарных — гениальны все.
Где нет любви помех и поруганий,
над временем подъятой на щите,
где мы живем, навек бессмерты, с Галей,
как видим этот сон — щека к щеке...

When, lack of justice sensing,
searching for her sorrow's source impelled—
as maturing consciousness' comprehension
came Tolstoy, cruel to be kind he felt,
but—he placed his hands behind his belt.

Then, when no clear way out was found,
rage irresistibly ripened and goaded her—
as a result, from the whirlwind Lenin burst out,
and in order to save her—exploded her!

So confusedly, diffusedly, I ruminated,
Yasnaya Polyana having long ago left,
and through Russia on my Moskvitch skated
while my love on my shoulder peacefully slept.

Night thickened, only pale pink loomed
the horizon . . .
                              Headlights hit us head on.
Concertinas ebbed and flowed.
                                                  A ginger moon
behind a wattle hedge drunkenly flopped down.
Turning somewhere aside from the roadway,
I braked, dropped down the front seat,
and with Galya into dreamland floated
through stars enticement—cheek to cheek . . .

A world I dreamed—without the infirm and the fat,
without dollars, rubles or pesetas,
with no frontiers, no phony governments' fiat,
no rockets or rackets, no ink-stinking papers.
I dreamed a world where all seemed first-created,
outspreading bird cherries in the dewfall,
with blackbirds and nightingales crowded.
Where no untalented exist—just geniuses all.
Where love has no impediments or desecration,
raised high on a shield, over time,
where we live with Galya, eternally unaging,
as we see—cheek to cheek—in this dream . . .

Но пробудились мы...
«Москвич» наш дерзко
стоял на пашне, ткнувшийся в кусты.
Я распахнул продрогнувшую дверцу,
и захватило дух от красоты.
Над яростной зарею, красной, грубой,
с цигаркой, сжатой яростно во рту,
вел самосвал парнишка стальнозубый,
вел яростно на яростном ветру.
И яростно, как пламенное сопло,
над чернью пашен, зеленью лугов
само себя выталкивало солнце
из яростно вцепившихся стогов.
И облетали яростно деревья,
и, яростно скача, рычал ручей,
и синева, алея и ярея,
качалась очумело от грачей.
Хотелось так же яростно ворваться,
как в ярость, в жизнь, раскрывши ярость крыл...
Мир был прекрасен.
Надо было драться
за то, чтоб он еще прекрасней был!
И снова я вбирал, припав к баранке,
в глаза неутолимые мои:
Дворцы культуры.
Чайные.
Бараки.
Райкомы.
Церкви.
И посты ГАИ.
Заводы.
Избы.
Лозунги.
Березки.
След реактивный в небе.
Тряск возков.
Глушилки.
Статуэтки-переростки
доярок, пионеров, горняков...
Глаза старух, глядящие иконно.

But we awoke . . .
Our Moskvitch stood astride
a plowed field, stuck in a hedge brazen-bold.
I flung the car's benumbed door open wide,
and with morning beauty filled my soul.
Over a furious sunrise, rude, red-rimmed,
clenching a butt furiously in his mouth,
a steel-toothed youngster drove his plow,
and drove it furiously in a furious wind.
And furiously, like flaming bellows,
over the black earth, the green of meadows,
the sun thrust itself up and arose
out of furiously clinging hayrick rows.
And leaves fell furiously from the trees,
and furiously leaping, babbled the brooks,
and the dark blue vault, irritatedly,
echoes and rocks, infuriated by rooks.
So in fury one wanted to burst outright,
as in fury, so in life, spreading wings furiously. . . .
The world was so beautiful.
One must still fight
that it should still more beautiful be!
As chorus to a croissant, once more I imbibed,
through these indefatigable eyes of mine:
Palaces of Culture.
Cafés.
Churches.
District Committees.
Log cabins.
Car Check Posts.
Factories.
Cottages.
Slogans.
Silver birches.
A jet plane's sky trail.
The rattle of transport.
Railroad buffers.
Overgrown statuary
of Milkmaids, Miners, Young Pioneers, Sport. . . .
The eyes of old age that ikonlike peep.

Задастость баб.
Детишек ералаш.
Протезы.
Нефтевышки.
Терриконы,
как груди возлежащих великанш.
Мужчины трактора вели.
Пилили.
Шли к проходной, спеша потом к станку.
Проваливались в шахты.
Пиво пили,
располагая соль по ободку.
А женщины кухарили.
Стирали.
Латали, успевая все в момент.
Малярили.
В очередях стояли.
Долбили землю.
Волокли цемент.

Смеркалось вновь...
«Москвич» был весь росистый,
и ночь была звездами всклень полна,
а Галя доставала наш транзистор,
антенну выставляя из окна.
Антенна упиралась в мирозданьи.
Шипел транзистор в Галиных руках.
Оттуда, не стыдясь перед звездами,
шла бодро ложь на разных языках!

О, шар земной, не лги и не играй!
Ты сам страдаешь, больше лжи не надо!
Я с радостью отдам загробный рай,
чтоб на земле поменьше было ада!

Машина по ухабам бултыхалась.
(Дорожники, ну что ж вы, стервецы!)
Вокруг был шар земной.
Вокруг был хаос.

Big-bottomed women.
Children's playfulness.
Artificial limbs.
Oil derricks.
Slag heaps
like the breasts of a reclining giantess.
Men sawed timber.
Tractors steered.
Clocked in at factory gates, hurried to machines.
Vanished in pits.
Drank beer,
sprinkled salt along the glass rims.
While women cooked.
Clothes washed.
Sewed patches—soon everything fixed.
Stood in queues.
Walls whitewashed.
Dug the earth.
Cement mixed.

Then twilight fell . . .
Moskvitch was dewy-wet,
and night was filled to the brim with stars,
and the aerial of our radio set
Galya thrust through the window of the car.
That antenna pierced into world creation
and in Galya's hand that radio hummed.
Then shamelessly confronting constellations,
brazen lies emerged in various tongues.

Oh ball of earth, pretend no more to lie.
You suffer so, to no more lies give birth.
I'd gladly give up heaven in the sky
that there should be less evil on this earth.

The car jerked over the pitted, bumpy ground.
(Cursed roadmakers, will you ever make amends?)
Around was earth's sphere.
Chaos all around.

Но были в нем «начала» и «концы».
Была Россия — первая любовь
грядущего...
И в ней, вовек нетленно,
запенивался Пушкин где-то вновь,
загустевал Толстой, лепился Ленин.
И, глядя в ночь звездастую вперед,
я думал, что в спасительные звенья
связуются великие прозренья
и, может, лишь звена недостает...
Ну что же, мы живые.
Наш черед.

But in it there were "beginnings" and "ends."[7]
There was Russia—the future's
first love . . .
And in her, eternally undecaying,
Pushkin somewhere bubbled anew there,
Tolstoy thickened, Lenin was in the making.
And, gazing into night's starlit plain,
I thought, how great farsighted visions sum
and link themselves into a lifesaving chain,
and, maybe, but one link is the missing one. . . .
Well, then. We're alive.
Our turn has come.

[7] This is a quotation from a poem by A. Blok—"But, you, the artist, must firmly believe in beginnings and ends."

Большевик

Я инженер-гидростроитель Карцев.
Я не из хилых валидольных старцев,
хотя мне, мальчик мой, за шестьдесят.
Давай поговорим с тобой чин чином,
и разливай, как следует мужчинам,
в стаканы — водку, в рюмки лимонад.

Ты хочешь, чтобы начал я мгновенно
про трудовые подвиги, наверно?
А я опять насчет отцов-детей.
Ты молод, я моложе был, пожалуй,
когда я, бредя мировым пожаром,
рубал врагов Коммуны всех мастей.

Летел мой чалый, шею выгибая,
с церквей кресты подковами сшибая,
и, попусту, зазывно-веселы,
толпясь, трясли монистами девахи,
когда в ремнях, гранатах и папахе
я шашку вытирал о васильки.

И снились мне индусы на тачанках,
и перуанцы в шлемах и кожанках,
восставшие Берлин, Париж и Рим,
весь шар земной, Россией пробужденный,
и скачущий по Африке Буденный,
и я, конечно, — скачущий за ним.

И я, — готовый шашкой бесшабашно
срубить с оттягом Эйфелеву башню,
лимонками разбить витрины вдрызг
в зажравшихся колбасами нью-йорках, —
пришел на комсомольский съезд в опорках,
зато в портянках из поповских риз.

The Bolshevik

I am Kartsev, Hydro-Electric Engineer.
I'm not one of those puny decrepit old Dads,
although, I'm now over sixty years.
So let's have a proper talk, my lad,
and, as is befitting men of our grade,
fill tumblers with vodka, wineglasses with lemonade.

No doubt you want me at once, without carping,
to start off with feats of labor and shock brigades?
But once again on fathers and children I'm harping.
You're young yet—I was an even younger blade
when, by dreams of world-wide conflagration imbued,
I hacked down the Commune's foes of every hue.

On galloped my roan, its neck arching high,
kicking church crosses awry with its hooves,
and in vain did the wenches invitingly vie,
shaking their necklaces, in clustering groups,
when, in bandoliers swathed and hand grenades,
with my sheepskin hat I wiped cornflower glades.

I dreamed of Hindus in machine-gun wagons,
and Peruvians in helmets and sheepskin jerkins,
in rebellion uprising, Rome, Paris, Berlin,
the whole earthly globe Russia awakens
and Budenny[1] is galloping all over Africa
and I, of course, galloping right after him!

And I—ever ready with saber and horse,
the Eiffel Tower to hack down in due course,
and shop windows to bomb to smithereens calmly
in glutted New Yorks stuffed full of salamis—
came to the YCL[2] Congress in boots full of holes,
but with foot cloths made from priestly stoles.

[1] The legendary Red cavalry general of the Civil War.
[2] Young Communist League.

Я ерзал — что же медлят с объявленьем
пожара мирового? Где же Ленин?
«Да вот он...» — мне шепнул сосед-тверяк.
И я вздохнул — сейчас ОНО случится!...
А Ленин вышел и сказал: «Учиться,
учиться и учиться!» Как же так?!

Но Ленину я верил... И в шинели
я на рабфак пошел... И мы чумели
на лекциях, голодная комса.
Нам не давали киснуть малохольно
Маркс-Энгельс, постановки Мейерхольда,
махорка, Маяковский, и хамса.

Я трудно грыз гранит гидростроенья.
Я обличал не наши настроенья,
клеймя позором галстуки, фокстрот.
На диспутах с Есениным боролся,
за то, что видит он в Руси — березки,
а к индустрийной мощи не зовет.

Был нэп. Буржуи дергались в тустепе.
Я горько вспоминал как пели степи,
как напряженно бледные клинки
над кутерьмой погонов и лампасов,
в полете доставали до пампасов,
которые — казалось — так близки.

I fidgeted—why so slow in declaring, explaining,
the whole world's aflame? Where then is Lenin?
"He's over there . . ." whispered a neighbor from Tver.[3]
I sighed in relief—at last comes ITS turn! . . .
But Lenin came out and declared: "You must learn,
and learn, and learn!" That seemed to me queer!

Still Lenin I believed . . . and in my old army greatcoat
joined the Workers' Faculty . . .[4] We grew fuggy and groped,
we hungry YCLers, at those weighty lectures.
But weren't given time to mope or conjecture
by Marx and Engels, productions of Meyerhold,[5]
saltfish, Mayakovsky and butts hand-rolled.

It was grueling gnawing the granite of hydro-construction.
Moods not our own I publicly exposed,
with social shame branded neckties and fox-trotting.
Against Yesenin I battled in public disputes,
because in all Russia he saw only birch trees
and didn't rouse us to build heavy industries.

There was NEP,[6] the bourgeoisie jerked in the two-step,
Bitterly I remembered the song of the steppes,
how straining pallid sabers madly swept
over piles of stripes and epaulettes
and soaring reached to the very pampas,
which—it seemed—we were already encompassing.

[3] A Russian provincial town, now called Kalinin.

[4] Special schools for adult education of workers, from which they could go on to universities and academies.

[5] The leading Communist theater director and pioneer of theater innovation, from which stem the schools of Brecht, Piscator, Buryan, etc. Later a victim of Stalinist terror, executed about 1940. He was also the producer of Mayakovsky's plays.

[6] The new economic policy Lenin introduced—allowing a degree of private enterprise to overcome shortages. "One step back, to take two forward," as he explained it.

Я, к подвигам стремясь, не сразу понял,
что нэп и есть не отступленье — подвиг...
И ленинец, мой мальчик, только тот,
кто, если хлеб гниет, коровы дохнут,
идет на все, ломает к черту догмы,
чтоб накормить, чтобы спасти народ.

Кричали над Россией паровозы.
К штыкам дрожавшим примерзали слезы
В трамваях прекратилось воровство.
Шатаясь, шел я с Лениным проститься
и, как живое что-то, в рукавице
грел партбилет — такой, как у него.

И я шептал в метельной круговерти:
«Мы вырвем, вырвем Ленина у смерти
и вырвем из опасности любой!
Неправда будет — из неправды вырвем!
Товарищ Ленин, только слезы вытрем —
и снова — в бой и снова — за тобой!»

В Узбекистане строил я плотину...
Представь такую чудную картину,
когда грузовиками — ишаки.
Ну, а за то, зовущи и опасны,
как революционные пампасы,
тревожно трепетали тростники.

Нас мучил зной, шатала малярия,
но ничего: мы были молодые.
Держались мы. И не спуская глаз,
все в облаках, из далей неохватных,
как будто басмачи в халатах ватных,
глядели горы сумрачно на нас.

Всю технику нам руки заменяли.
Стучали мы криками, кетменями,
питаясь ветром, птичьим молоком,

Striving for feats of valor, I didn't then perceive
that NEP was no retreat, NEP was truly a feat. . . .
And a Leninist is only he, my boy,
who, if cornfields rot and cattle starve,
stops at nothing, all dogmas to destroy,
the people to feed, the people to save.

All over Russia locomotives shrieked.
To trembling bayonets froze tears from eyes.
In tramways then even thieving ceased.
Swaying, I went to bid Lenin good-by,
and, like a living thing, in my mittened hand
warmed a Party card, just the same as he had.

And I whispered in the whirling blizzard's roar:
"Lenin we'll rescue, even from Death's door,
rescue from whatever danger rears!
If falsehood comes—from falsehood we'll rescue.
Comrade Lenin—we'll wipe away our tears,
and once more—into battle, once more we'll follow you!"

I built a dam in Uzbekistan . . .
This wonderful picture imagine then,
when pack mules for trucks fulfilled the plan.
But, for all that, dangerous and challenging,
like the revolutionary pampas afar,
fluttered the rushes with turbulent alarm.

We quaked with malaria, by heat we were tortured,
but that was nothing: we were still young.
We stuck it out. And with gaze unfaltered
out of the distance, heavily cloud-hung,
like Basmachi[7] in native quilted gowns,
the mountains at us gazed gloomily down.

All techniques by hands we substituted.
With mattocks and pickaxes pounding we went,
by wind and bird's milk we were fed,

[7] Guerrillas of the bourgeois-nationalist movement during the Civil War.

и я счастливо на топчан валился...
А где-то Маяковский застрелился.
(А после был посажен Мейерхольд.)

Я за день ухайдакивался так, что
дымилась шкура. Но угрюмо, тяжко
ломились мысли в голову, страшны.
И я оцепенело и виновно
не мог понять, что делается, — словно
две разных жизни было у страны.

В одной — я строил ГЭС под вой шакалов.
В одной — Магнитка, Метрострой, и Чкалов,
«Вставай, вставай, кудрявая...», и вихрь
аплодисментов там, в кремлевском зале...
В другой — рыданья: «Папу ночью взяли...»,
и — звезды на пол с маршалов моих.

Я кореша вопросами корябал.
С Алешкой Федосеевым — прорабом,
мы пили самогон из кишмиша,
и кулаком прораб грозил кому-то:
«А все-таки мы выстроим Коммуну!»
и, плача, мне кричал: «Не плакать! Ша!»

Но мне сказал парторг с лицом аскета,
что партия дороже дружбы с кем-то.
Пронзающе взглянул, оправил френч
и постучал значительно по сейфу:
«Есть матерьялы — враг твой Федосеев.
А завтра партактив... Продумай речь».

and on an oven top I lay happily spent. . . .
While somewhere Mayakovsky shot himself
(And later Meyerhold was shut in a cell.)

Each day I wore myself to a frazzle,
till my very skin steamed. But grimly, heavily,
thoughts broke into my head, terrifying, puzzling,
till I was benumbed and guiltily
couldn't understand what was happening—as if
two different lives by our land were lived.

In one—I built power stations to jackal howls;
in one—Magnitogorsk,[8] Metrostroy[9] and Chkalov,[10]
"Arise, arise, you curly head . . ."[11] and applause,
like a hurricane, in the great Kremlin halls. . . .
In the other—"They took Dad at night . . ." wailing starts . . .
and—to the floor fell my Red marshal's stars.[12]

I pestered with questions my old mate.
With Alyosha Fedoseyev—our foreman—
we drank moonshine brew from raisins made,
and with clenched fists he threatened someone:
"But we'll build the Commune yet . . . despite! . . ."
and, crying, cried, to me: "Don't cry!"

But the ascetic-faced PartOrg[13] said to me,
that the Party is dearer than any friend,
and adjusting his tunic, fixed me piercingly,
and rapped on the safe with significant intent:
"Here's evidence—your Fedoseyev's an enemy.
Tomorrow's the Party meeting . . . Make up a speech . . ."

[8] Magnitogorsk was the first giant steel town of the first Five-Year Plan.
[9] Metrostroy—the building of the Moscow Underground.
[10] Chkalov, the first Russian to fly over the North Pole.
[11] A very popular song of the thirties, composed by Dunayevsky—who later committed suicide.
[12] Reference to Marshal Tukhachevsky and other marshals and generals of the Red Army who were framed, arrested, and shot.
[13] Common abbreviation for a Communist Party Organizer.

«Так надо!» — он вослед не удержался...
«Так надо!» — говорили — я сражался.
«Так надо!» — я учился по складам.
«Так надо!» — строил, не прося награды,
но, если лгать велят, сказав: «Так надо!»,
и я солгу, — я Ленина предам!

И я, рубя с размаху ложь в окрошку,
за Ленина стоял и за Алешку
на партактиве, как под Сивашом.
Плевал я, что парторг не растерялся,
и рьяно колокольчиком старался,
и яростно стучал карандашом.

Я вызван был в Ташкент... Я думал — это
для выясненья подлого навета.
Я был свиреп. Я все еще был слеп.
Пришли в мой номер с кратким разговором
и увезли в фургоне, на котором
написано, как помню, было «Хлеб».

Когда меня пытали эти суки,
и били в морду, и ломали руки,
и делали со мной такие штуки —
не повернется рассказать язык! —
и покупали: «Как насчет рюмашки?» —
и мне совали подлые бумажки,
то я одно хрипел: «Я большевик!»

Они сказали, усмехнувшись: «Ладно!» —
на стул пихнули, и в глаза мне — лампу,
и свет меня хлестал и добивал.
Мой мальчик, не забудь вовек об этом:
сменяясь, перед ленинским портретом
меня пытали эти суки светом,
который я для счастья добывал!

"It's necessary!" he blurted after me . . .
"It's necessary!"—they said—and I fought.
"It's necessary!"—and I studied the ABC.
"It's necessary!" I built—asking no reward.
But, if ordered to lie, "It's necessary," they say—
and I lie—then Lenin I betray!

Into shreds these lies I wildly tore,
for Alyosha and for Lenin I fought
at that Party meeting, as in the Civil War.
I didn't give a damn that, undeterred, the PartOrg
with his bell angrily asserted authority
and on the table his pencil banged violently.

To Tashkent I was summoned . . . I had in mind
it was to clear up those infamous slanders preferred.
My fury I couldn't confine. I was still blind.
They came to my hotel room with but a brief word
and took me off in a van, on which I read,
I still remember, the single word, "BREAD."

When those swine tortured and abused me,
my face they beat, my arms they broke—
and did such things and so misused me—
to explain I can't force this tongue of mine!—
they tried to bribe me: "How about a drink?"
and thrust lying statements for me to sign,
but one thing I cried hoarsely: "I'm a Bolshevik!"

They replied with a grin: "All right!"
pushed me on a chair: in my eyes flashed a lamp,
yes, they flayed me and beat me with electric light.
That you must never forget, my lad:
changing shifts, in front of Lenin's portrait,
those bastards tortured me with electric light then,
which I had produced for the happiness of men!

И я шептал портрету в исступленьи:
«Прости ты нас, прости, товарищ Ленин,
за то, что сволочь — с именем твоим.
Пусть плохо нам, пусть будет еще хуже,
не продадим, товарищ Ленин, души,
и коммунизма мы не продадим».

Мы лес в тайге валили, неречисты,
партийцы, инженеры и чекисты,
начдивы... Как могло такое быть?
Кого сажали — знали вы, сексоты?
И жуть брала, как будто не кого-то,
а коммунизм хотели посадить.

Но попадались, впрочем, здесь и гады...
Я помню — из трелевочной бригады
парторг в лохмотьях бросился ко мне.
А я ему ответил не без такта:
«Мне партия дороже дружбы, так-то!»
Он с той поры держался в стороне.

Я злее стал и в то же время мягче.
Страданья просветляют нас, мой мальчик.
И помню я, как, сев на бурелом,
у костерка обкомовец свердловский
Есенина читал нам, про березки,
и я стыдился прежних слов о нем.

Война гремела... Резво Гитлер начал...
Но, «враг народа» — для победы нашей
я на Кавказе строил ГЭС опять.
Ее в скале с хитринкой мы долбили,
и «хейнкели» ночами нас бомбили,
но не могли, сопливые, достать.

To that portrait I whispered in a frenzy:
"Do forgive us, forgive us, Comrade Lenin,
that such scoundrels your name involve.
Let it be bad for us, let worse be on the way—
but we'll never betray, Comrade Lenin, our souls
and Communism we'll never betray!"

Timber in the taiga[14] we taciturnly felled,
Party members, Chekists[15] and engineers,
Divisional commanders . . . How could such things be?
Did you know, GPU informers, who were jailed?
And horror gripped me, as if it was very Communism
and not just someone, they wanted to imprison.

But, by the way, vermin also got caught here.
I remember—from the gang of timber haulers
my own PartOrg rushed towards me in rags.
But I answered him, not without tact:
"The Party's dearer than friendship—that's a fact!"
From then on he avoided any contact.

I grew more angry, but also softer.
Suffering enlightens, my lad, and often
sitting on storm-felled trees, I'd remember
how, by the campfire, a Sverdlovsk DC Member[16]
recited Yesenin, about silver birch trees,
and I felt ashamed I'd treated him so scurvily.

Then war thundered . . . friskily Hitler began . . .
But, still "an enemy of the people," once again
I built in the Caucasus a GES for our victory.
Into the cliffside we cunningly constructed it,
and though their Heinkels[17] bombarded us at night,
the snotty noses couldn't reach us, out of sight.

[14] The dense virgin forests of Siberia.

[15] Members of the Exceptional Committee for Fighting Counter-Revolution, abbreviated in Russian to CHEKA, later GPU, NKVD, MVD, KGB.

[16] A member of the Sverdlovsk District Committee of the Communist Party.

[17] German bombing planes.

Вокруг, следя, конвойные стояли,
и ты не понимал, товарищ Сталин,
что, от конвоя твоего вдали,
тобой пронумерованные зеки,
мы шли через леса и через реки
И до Берлина с армией дошли!

Врагом народа так же оставаясь,
я строил ГЭС на Волге, не сдаваясь.
Скрывали нас от иностранных глаз.
А мы рекорды били, мы плевали,
что не снимали нас, не рисовали
и не писали очерков про нас.

Но я старел, и утешала Волга
и шелестела мне: «Еще недолго...»
А что недолго? Жить? Сутул и сед,
я нес, вконец измотан, мою муку,
когда в уже слабеющую руку
Двадцатый съезд вложил мне партбилет.

Не буду говорить, что сразу юность
ах, ах! — на крыльях радости вернулась.
Но я поехал строить в Братске ГЭС.
Да, юность, мальчик мой, невозвратима,
но погляди в окно — там есть плотина?
И, значит, я на свете тоже есть.

Я вижу — ты, мой мальчик, что-то грустен.
Ты грусть свою заешь соленым груздем,
и выпей-ка, да мне еще налей.
Разбередил тебя? Но я не каюсь, —
вас надо бередить... Ну а покамест
продолжу я насчет отцов-детей.

Around us, on guard, convoy sentries stand,
but, Comrade Stalin, you didn't understand
that, from your prison convoy in far-distant exile,
the ZEKS[18] you had carefully numbered and filed
marched through forests dense and rivers wide
until with the Red Army in Berlin we arrived!

"An enemy of the people" remaining still,
a GES on the Volga, still unyielding, I built.
From foreigners' eyes we were all hid.
But we broke all records, and didn't give a fig
that they didn't draw us, didn't film or photograph,
nor in the press print one single paragraph.

But I grew old, consoled only by Mother Volga,
who whispered to me: "Not much longer . . ."
But what's not much longer? To live? Gray and bent,
finally exhausted, I bore my torment hard,
when into my weakening, trembling hand
the Twentieth Congress[19] returned my Party card.

I won't say that at once youth's restoration—
Hurrah!—on wings of gladness joyously returned.
But I went to build in Bratsk another power station.
No, youth, my youngsters, never returns,
but glance through the window—there's a dam?
And that means, in this world, I still am.

My lad, you're sad about something I see.
Swallow your sorrow with your pickled herring
and empty your glass, and pour another for me.
I've upset you? Well, I don't regret it—
you have to be upset . . . But meanwhile, son,
about fathers and children I'll still go on.

[18] Russian abbreviation for prisoners of Soviet prison camps.

[19] The famous Congress of the C.P.S.U. during which the truth about Stalin and his period was revealed, culminating in Khrushchev's famous "secret" speech.

Ты помни, видя стройки и плотины,
во что мой свет когда-то обратили.
Еще не все — технический прогресс.
Не забывай великого завета:
«Светить всегда!» Не будет в душах света —
нам не помогут никакие ГЭС!

Ты помни наши звездные папахи,
горевшие у нас в глазах пампасы,
бессоницу строительных ночей,
презренье к сволочам и малодушным,
«Я большевик» — в подвале гепеушном...
Ни в чем таких отцов предать не смей!

Но помни и других отцов — стучавших,
сажавших или попросту молчавших,
все исполнявших — лишь приказ им дай.
Ты помни их, но мало только помнить!
Я выпил, но тебе в сознаньи полном
я говорю: «Таких отцов — предай!»

И никому не должен ты позволить
Коммуну нашу подлостью позорить.
В Коммуне места нет для подлецов.
Ты плюй на их угрозы или ласки!
Иди, мой мальчик, чист по-комиссарски,
с отцовской правдой — против лжи отцов!

И ежели тебе придется туго,
ты не предай ни совести, ни друга —
ведь ты предашь и мертвых и живых.
Иди, мой мальчик! Знай, готовясь к бою:
Алешка, я и Ленин — за тобою
и клятвой повтори: «Я большевик!»

Remember, when you see power stations and dams,
to what uses my electric light was transformed.
Technical progress is not the only goal.
Don't forget that mighty poetic dedication:
"Shine all the time!"[20] But if there's no light in the soul,
we shan't be helped by any kind of power station!

Our fur helmets with gleaming red stars remember,
the light in our eyes that once burned from the pampas,
the sleeplessness of construction nights,
the contempt for cowards and parasites.
"I am a Bolshevik"—in the cellars of the GPU . . .
Don't betray such fathers, whatever you do!

But remember those other fathers—who rapped,
trapped and imprisoned, or merely silent kept,
obeying all orders—so long there're orders to obey.
Remember them, but remembering's not enough today!
I've had some drink, but aware of what I say
I tell you: "Such fathers—betray!"

And you must allow no man to disgrace
our Commune, nor ever shame its name.
In the Commune villains have no place.
On their threats or caresses spit with disdain!
Go, my lad, clean, commissar-like,
with fathers' truths against fathers' lies!

And if, at times, things still tougher tend,
neither your conscience betray, nor your friend—
for then you'll betray the dead and the quick.
Go, my lad, and, in preparing for battle, know
Alyosha and I—*and* Lenin—are with you, so
repeat our oath: "I am a Bolshevik."

April 12, 1964

[20] From Mayakovsky's famous poem, "An Extraordinary Adventure." See p. 137, *op. cit.*

Диспетчер света

Я диспетчер света Изя Крамер.
Ток я шлю крестьянину, врачу,
двигаю контейнеры и краны,
и кинокомедии кручу.

Где-то в переулочках неслышных,
обнимаясь, бродят, как всегда.
Изя Крамер светит вам не слишком?
Я могу убавить, если да.

У меня по личной части скверно.
До сих пор жены все нет и нет.
Сорок лет не старость — это верно,
Только и не юность — сорок лет.

Я себя нисколько не жалею,
отчего же все-таки тогда
зубы у меня из нержавейки
да и голова седым-седа?

Вот стою за пультом над водою,
думаю про это, и про то,
а меня на белом свете двое,
и не знает этого никто.

Я и здесь, и в то же время где-то.
Здесь дела, а там — тела, тела...
Проволока рижского гетто
надвое меня разодрала.

Оба Изи в этой самой коже.
Жарко одному. Другой — дрожит.
Одному кричат: «Здорово, кореш!»,
а другому: «Эй, пархатый жид!»

The Power Controller

I'm Izzy Kramer the Power Controller.
Current to peasant and doctors I transmit,
assembly belts and motors I set rolling
and spin the spools of slapstick comedies.

As always they embrace and roam at night,
somewhere in lanes and boulevards noiseless.
Does Izzy Kramer give you too much light?
If you like, I can give you much less!

For myself I lead a pretty lousy life.
I still have no wife in life, no wife.
Forty years isn't old age—that's true . . .
But forty years also isn't youth.

I'm not sorry for myself, I must say.
How is it then my teeth are mainly
false, made of steel that's stainless,
and my hair completely gray?

Well, here I stand at the power controls,
about this and that I'm thinking,
for there's two of me in this world
and no one else has an inkling.

I'm here, and at the same time somewhere else.
Here is work, and there—bodies, bodies strewn. . . .
The Riga Ghetto's barbed-wire hell
has completely torn me in two.

In this selfsame skin are both Izzies.
One is hot. The other—freezes.
To one they cry: "Hello, kid!"
To the other: "Hey, you mangy Yid!"

И у одного, в тайге рождаясь,
просят света дети-города,
у другого — к рукаву прижалась
желтая несчастная звезда.

Но другому — на звезду, на кепку
сыплется черемуховый цвет,
а семьнадцать лет, — они и в гетто,
что ни говорит, семьнадцать лет.

Тело жадно дышит сквозь отрепья
и чего-то просит у весны...
А у Ривы, как молитва ребе,
волосы туманны и длинны.

Пьяные эсэсовцы глумливо
шляются по гетто до зари...
А глаза у Ривы, словно взрывы, —
черные они, с огнем внутри.

Молится она окаменело,
но молиться губы не хотят
и к моим, таким же неумелым,
шелушась, по воздуху летят!

И, забыв о голоде и смерти,
полные особенным, своим,
мы на симфоническом концерте
в складе продовольственном сидим.

Пальцы на ходу дыханьем грея,
к нам выходит крошечный оркестр.
Исполнять Бетховена евреям
разрешило все-таки эсэс.

And by infant towns born midst taiga[1] leaves
for electric light one is asked,
the other has pinned to his sleeve
a yellow pitiful star.

But to the other—on his cap, on his star,
cherry-blossom colors stream,
for seventeen years—wherever you are—
even in the ghetto—is still seventeen.

The body greedily breathes through rags and scrabbles
and pleads for something from spring. . . .
And Rivka, like the prayers of a rabbi,
has hair that's misty and long and sings.

Drunken SS men, with mocking commotion,
loaf about the ghetto till dawn. . . .
But the eyes of Rivka, like explosions,
are black, in which fires are born.

She says her prayers stonily, impassible,
but her lips do not want any prayer
and to mine, just as unable,
unpeeling themselves, come flying through the air!

And hunger and death forgetting,
filled with our own special thought,
in an old warehouse we're sitting
listening to a symphony concert.

Breathing on their fingers for warmth,
a tiny orchestra comes to play for us.
For the Jews Beethoven to perform
is nevertheless permitted by the SS.

[1] The vast wild forests of Siberia.

Хилые, на ящиках фанерных
поднимают скрипки старички,
и по нервам — по гудящим нервам
пляшут исступленные смычки.

И звучат бомбежки ураганно,
хоры мертвых женщин и детей,
и вступают гулко и органно
трубы, где-то ждущих нас печей.

Ваша кровь, Майденек и Освенцим,
из-под пианинных клавиш бьет,
и, бушуя, немец против немцев,
Людвиг ван Бетховен восстает!

Ну, а в дверь, дыша недавней пьянкой,
прет на нас эсэсовцев толпа...
Бедный гений, — сделали приманкой
неподозревавшего тебя.

И опять на пытки и на муки
тащит нас куда-то солдатня.
Людвиг ван Бетховен, — чьи-то руки
отдирают Риву от меня!

И ее лицо, сверкнувши, тонет
среди воплей, слез и темноты...
Ты бессилен, — Людвиг ван Бетховен?!
Людвиг ван Бетховен, — что же ты!...

Этот Изя — полными горстями
сыплет вам огни... Все это так.
А другому — по зубам перстнями
рыжий надзирательский кулак.

Sitting on three-ply chests that creak,
sickly old men their fiddles raise,
and on nerves—on nerves that shriek,
frenziedly bows dance apace.

And like a bombing hurricane boom
dead women and children chorus Beethoven,
and resonant and organlike enter and zoom
trumpet stacks of waiting-for-us gas ovens.

Your blood, Oswiencim and Maidanek,
under the piano keys seems to pulse
and German against Germans in panic,
Ludwig van Beethoven revolts!

Nu[2] through the door, stinking drunk,
the SS gang come pushing hectically. . . .
Poor genius—to a decoy you have sunk
and you so innocent and unsuspecting.

And from torment to torture once more,
somewhere by soldiers we're taken for a ride.
Ludwig van Beethoven—someone's hand tore
my Rivka away from my side!

And her face flashed and drowned in a sea
of groans, tears and darkness . . .
Ludwig van Beethoven—how can it be?!
Ludwig van Beethoven—you are powerless! . . .

This Izzy—with fistfuls overflowing
pours out light for you . . . Thus it is.
The other—in the teeth gets a blow
from a prison guard's beringed ginger fist.

[2] A typical Yiddish expression.

Наш концлагерь птицы облетают,
стороною облака плывут.
Крысы в нем и то не обитают,
ну, а люди пробуют — живут.

Я не сплю на вшивых нарах лежа,
и одна молитва у меня:
«Пусть уж я терплю все это, боже, —
сделай, чтобы Рива умерла!».

Но однажды землю молчаливо
рядом с женским лагерем долбя,
я чуть не кричу... я вижу Риву,
словно призрак, около себя.

А она стоит, почти незрима
от прозрачной детской худобы,
колыхаясь, будто струйка дыма
из кирпичной лагерной трубы.

И живая, или неживая —
не пойму... Как в сон погружена,
мертвенно матрасы набивает
человечьим волосом она.

Рядом ходит немка, руки в бедра,
наблюдая этот страшный труд.
Сапоги скрипят, сверкают больно.
Сапоги новехонькие. Жмут.

«Эй, жидовка, слышишь? брось матрасы!
Подойди! А ну-ка помоги...»
Я рыдаю... С ног ее икрастых
стягивает Рива сапоги.

«Живо! Плетки хочется наверно?
Не порви чулок!» — и в грудь пинком:
«Разноси-ка сапоги мне, стерва!
Надевай! Надела? Марш бегом!»

Our concentration camp—birds go round about it,
clouds pass it by on the side,
even rats do not inhabit it,
but people—nu—try—and survive.

One prayer in my heart I hold,
as sleepless on lousy planks I lie:
"Let me bear all of it, O God—
but please, let Rivka die!"

But one day, digging ground grimly,
alongside the women's camp guard post,
I almost cried out. . . . Rivka I see
alongside of me, like a ghost.

But almost invisible she stands,
her childlike body weakness racks,
swaying, like an airborne smoke strand
from the camp's concrete chimney stacks.

Whether living, or not living—
I can't understand . . . as if in a dream there
mattresses she's lifelessly stuffing
with matted human hair.

Alongside, hand on hips, a German strides,
observing that terrible plight.
Her jack boots squeak and painfully shine.
Brand-new jack boots—much too tight.

"Hey, Yiddela! Chuck the mattresses! D'you hear me!
Come here—help me off with these . . ."
I sob aloud . . . from those great fat legs
Rivka is tugging jack boots, on her knees.

"Schnell! You want to feel my lash, no doubt?
Don't tear my stockings!" In the breast she kicked her—
"Now wear those boots for me, carrion lout.
Put them on! They're on? March! Run! Quicker!"

И бежит, бежит, шатаясь, Рива,
спотыкаясь посреди камней,
и солдат лоснящиеся рыла
с вышек ухмыляются над ней.

Боже, я просил ей смерти, — помнишь?
Почему она еще живет?!
Я кричу, бросаюсь к ней на помощь —
мне товарищ затыкает рот.

И она бежит, бежит по кругу,
падает, встает, — лицо в крови.
Боже, протяни ей свою руку,
навсегда ее останови!

Боже, я опять прошу об этом!
«Шнель!» визжит надсмотрщица, грозя.
Солнце, словно лагерный прожектор,
Риве бьет в безумные глаза.

Падает... К сырой земле прижалась
девичья седая голова.
Наконец-то вспомнил бог про жалость.
Бог услышал — Рива: ты мертва...

Я диспетчер света, Изя Крамер.
Я огнями ГЭС на вас гляжу,
грохочу электротракторами
и электровозами гужу.

Где-то на бетховенском концерте
вы сидите — может быть, с женой,
ну а я — вас это не рассердит? —
около сажусь, на приставной.

Впрочем, это там не я, а кто-то...
Людвиг ван Бетховен, — я сейчас
на пюпитрах освещаю ноты
из тайги, стирая слезы с глаз.

And Rivka runs and runs—swaying about,
stumbling amidst boulders and stones.
And a soldier with a glossy snout,
from a watchtower, grins at her groans.

O God, I asked death for her—remember?
Yet she is still alive! Why?
I shriek out, hurl myself to help her—
a comrade stifles my cry.

And she runs . . . In a circle she runs,
falls, gets up—face blood-covered.
O God, put out your hand just once
and stop her now and forever!

Again I beg for that, O God!
The female jailer squeals, threateningly, "Schnell!"
The sun, like a prison-camp projector prods
and into Rivka's terrified eyes beats hell.

She falls . . . to the raw earth pressing
a young maiden's gray-haired head.
At last God remembered mercy.
God heard at last—Rivka: you are dead . . .

I'm the Power Controller, Izzy Kramer.
I watch you now with Bratsky's flaming.
I'm roaring with electric tractors
and humming with electric motors.

At a Beethoven concert somewhere,
maybe with your wife you're sitting.
Well, maybe I—it doesn't upset you?—
sit nearby, on an extra chair.

However, it's not me there, but someone . . .
Ludwig van Beethoven—it's my light,
from the taiga, your music score illumines,
as I wipe the tears from my eyes.

И платя за свет в квартире вашей,
счет кладя с небрежностью в буфет,
помните — какой ценою страшной
Изя Крамер заплатил за свет.

Знает Изя: много надо света,
чтоб не видеть больше мне и вам
ни колючей проволоки гетто,
и ни звезд, примерзших к рукавам,

Чтобы над евреями бесчестно
не глумился сытый чей-то смех,
чтобы слово «жид» навек исчезло,
не позоря слова «человек»!

Этот Изя кое-что да значит —
Ангара у ног его лежит,
ну, а где-то Изя плачет, плачет
ну, а Рива все бежит, бежит...

And paying for the cost of light in your flat,
throwing the receipt carelessly aside,
remember at what terrible cost
Izzy Kramer paid for that light.

How much more light's needed, Izzy knows,
so that never more shall you and me see
barbed wire around camps and ghettos grow,
nor those dread yellow stars, frozen to a sleeve.

So that someone, self-satisfied, doesn't jeer
at the Jews dishonorably,
so that the word "Yid" forever disappears,
never more shaming the word "human being."

That Izzy now surely means something.
Mighty Angara[3] at his feet is lying—
Nu, but somewhere Izzy's crying, crying . . .
Nu, and Rivka still is running, running . . .

[3] The River Angara, on which the Bratsk Hydro-Electric Power Station is built.

Револьвер Маяковского

...И, вставши у подножья Братской ГЭС,
подумал я о Маяковском сразу,
как будто он
костисто,
крупноглазо
в ее могучем облике воскрес.
Он, словно ГЭС, горит
века прорезывая,
над вами,
диссертатчики-ханжи,
над желкими движками от поэзии,
трещащими
на жирном угле лжи.
Громадный,
угловатый, —
как плотина
стоит он поперек любых неправд,
натруженно,
клокочуще,
партийно,
попискиванья
грохотом поправ...
Он миром был.
К нему —
все в мире косвенно.
Но, ощущая боль и немоту,
могу представить все,
но Маяковского
в тридцать седьмом представить не могу.
Что было б с ним,
когда б тот револьвер
не выстрелил?

Mayakovsky's Revolver

. . . And, standing at the base of Bratsky Power Station,
Mayakovsky came to my mind at once,
as if he,
that sturdy-boned,
wide-eyed creation
was resurrected in its mighty countenance.
Like Bratsk he shines
over the peaks of the eras,
far over your heads,
academic parasites,
over petty generators of poetic careers,
crackling
on the greasy fuel of lies.
Massive,
angular,
like that mighty dam,
he stands athwart any lying,
a heavy-laden,
bubbling,
Bolshevik-minded man,
with his whistling thunder
rectifying . . .
He was a world.
To him
slanted the world's everything.
Only, filled with numbing pain and grief,
everything I can conceive,
but Mayakovsky living
in thirty-seven,[1] that I cannot conceive.
What would have happened,
if that revolver
had missed?

[1] 1937 was the worst year of the Stalinist terror.

Когда б он жив остался?
Смирился?
Поразумнел?
Поправел?
Тому, что ненавидел,
все же сдался?
А, может, он ушел бы мрачно в сторону,
молчал,
зубами скрежеща вдали,
когда ночами где-то в «черных воронах»
большевиков расстреливать везли?
Не верю!
Надо всеми,
стыд терявшими,
он встал бы
и обрушил вещий гром
и в мертвых ставший «лучшим и талантливейшим»,
в живых
он был объявлен бы врагом.
И, внешнею своей неуязвимостью
так поражавший ранее всегда,
спустя семь лет,
не в силах больше вынести
он выстрелил бы,
может быть,
в себя...
Пусть до конца тот выстрел не разгадан,
в себя ли он стрелять нам дал пример?
Стреляет снова,
рокоча раскатом,
над веком вознесенный револьвер.

What if to live until then he was fated?
Would he have humbled himself?
Become cautious?
Right-marched?[2]
Nevertheless have surrendered
to all that he hated?
Or, maybe, he'd have stood gloomily aside,
grit his teeth,
kept mute then,
when at night somewhere in Black Marias
they took Bolsheviks away to shoot them?
I don't believe it!
Over those
who had lost all shame,
he'd have risen
and with weighted thunder bombarded
and though dead "the best and most talented"[3] he became alive
"an enemy of the people"[4] he'd've been branded.
And, despite that apparent invulnerability
which from early years always cast its spell,
seven years later,[5]
unable to bear with it,
he would have shot,
maybe,
at himself. . . .
Let that shot to the end be unresolved now.
To shoot, in himself did he give us an example?
Over the eras
that resurrected revolver
shoots once more, with reverberating rumble.

[2] Alluding to Mayakovsky's most famous poem, "Left March."
[3] The pronouncement of Stalin about Mayakovsky after his death.
[4] The deadly epithet applied to anyone whom the Stalinists wanted to get rid of.
[5] An allusion to Mayakovsky's poem "About This" where over a previous period of seven years he considered the possibility of suicide. See pp. 182–83, *op. cit.*

Тот револьвер,
испытанный на прочность,
из прошлого,
как будто с двух шагов,
стреляет
в тупость,
лицемерье,
в пошлость:
в невыдуманных —
подлинных врагов.
Он учит против лжи —
все так же косной
за дело революции стоять.
В нем нам оставил пули Маяковский,
чтобы стрелять,
стрелять,
стрелять,
стрелять....

That revolver,
                of proven reliability,
out of the past,
                 as if but two paces only,
shoots
      at stupidity,
                    hypocrisy,
                              banality,
in foes that are real
                     not phony.
He instructs against the lies of inertia
                                       and bigots,
by the work of the revolution stands where he stood.
In that gun Mayakovsky left us his bullets
that we should shoot,
                       and shoot,
                                and shoot,
                                         and shoot. . . .